우아한 인생 이야기

우아한 인생 이야기

발　행 | 2024년 1월 10일
저　자 | 조윤제, 지미자, 하종정, 문경자, 조유제, 성창경, 정용식, 김경금, 정윤희,
　　　　성영희, 조윤래, 이춘엽
펴낸이 | 한건희
디자인 | 권영민
펴낸곳 | 주식회사 부크크
출판사등록 | 2014.07.15.(제2014-16호)
주　소 | 서울특별시 금천구 가산디지털1로 119 SK트윈타워 A동 305호
전　화 | 1670-8316
이메일 | info@bookk.co.kr

ISBN | 979-11-410-6615-4

www.bookk.co.kr
ⓒ 조윤제 외 11명 2024

우아한 인생 이야기

조윤제, 지미자, 하종정, 문경자, 조유제, 성창경
정용식, 김경금, 정윤희, 성영희, 조윤래, 이춘엽

격려사

2023년 10월 첫째 주부터 금강노인종합복지관에서 8주간 진행한 <우아한 자서전 쓰기>로 어르신들을 만났습니다. 이 글은 자서전 쓰기 과정을 통해 완성된 어르신들의 인생 스토리입니다.

인문학과 글쓰기 강의를 통해 많은 어르신들을 만날 때 마다 느끼는 점이 있습니다. 세상이 말하는 '성공한 삶'과 '행복한 삶'은 따로 있지 않습니다. 지금 어르신들이 존재하는 오늘과 지금 이 순간에 있습니다.

8주 간의 자서전 쓰기 과정을 통해 어르신들 속에 숨겨진 소년과 소녀의 맑고 순수한 영혼을 보았습니다. '나이듦'은 낡고 남루한 것이 아니라 시간이 더해진 보석의 빛남이 아닐까 생각합니다.

글쓰기를 하는 동안 당부드린 말씀이 있습니다. 가장 좋은 글은 '자신을 닮은 글'입니다. 비교하지 마시고, 어르신들의 언어로 솔직담백하게 써 달라고 당부했습니다. 자서전 쓰기 과정에 참석하시며 마음이 치유되었다는 말씀과 자신감이 생겼다는 말씀이 가장 행복했습니다. 이번 글을 통해 세상에 멋진 흔적 하나를 남긴 것이라 생각합니다.

어르신들의 삶은 지금까지 충분히 아름다웠고, 앞으로 더 빛날 보석이라 생각합니다. 함께 한 8주간 참 행복했습니다. 늘 어르신들의 행복을 응원합니다. 파이팅!

2023년 12월 자서전 강사 김준희

추천사

저희 금강노인종합복지관은 자서전 출간을 통해 어르신 12명의 소중한 이야기를 발행하게 되어 매우 기쁜 마음입니다. 이 자서전은 우리 복지관에서 보내신 어르신들의 일상을 담고 있는 실제 이야기이며, 이를 통해 어르신들의 지혜와 경험을 다른 세대와 공유할 수 있습니다.

우리 어르신들의 이야기는 진정한 영웅 이야기라 할 만큼 풍요로우면서도 우아한 인생을 보내셨습니다. 이 자서전을 통해 어르신들의 용기와 인내, 희생과 소소한 만족을 동시에 느낄 수 있을 것입니다. 이는 더 나아가 흔들리는 신념과 어려움에 직면한 자들에게도 큰 영감과 용기가 되어줄 것입니다.

우리 복지관은 어르신들의 삶의 질 향상을 위해 최선을 다하고 있습니다. 이 자서전은 우리 복지관이 우리 어르신들의 귀중한 경험과 업적을 영원히 기록해 둘 수 있는 소중한 보물이 될 것입니다. 어르신들의 자서전 출간을 축하하며, 어르신들의 오랜 기록을 잘 전하고자 최선을 다할 것을 약속드립니다.

또한, 이 자서전이 어르신들에게 자부심을 안겨주고 더 많은 사람에게 용기와 영감을 전할 수 있기를 기대합니다. 어르신들의 소중한 이야기들은 이제 세상과 나누어질 것이며, 그들의 존재와 경험은 더 많은 사람에게 응원과 희망의 메시지를 전할 것입니다.

12분의 동료들 모두의 출간을 축하드리면서, 어르신들의 오랜 기록을 잘 전하고자 노력하겠습니다. 그리고 저희 금강노인종합복지관이 어르신들께 더 큰 보탬이 되어 영광스러운 일을 이어갈 수 있도록 노력하겠습니다.

감사합니다.

금강노인종합복지관장 곽인철

CONTENT

조윤제

1. 나의 성격

내가 태어난 곳은 큰 들판을 앞에 두고 야산으로 겹겹이 들어가는 산골 마을이다. 가구 수는 겨우 스무여 가구가 모여 농사만 짓고 사는 동네였다. 제일 먼저 기억이 떠오르는데 내 나이 다섯 살 때 우리 집 아래채에 불을 냈다.

그때는 늦가을이었고, 점심 쯤인 걸로 기억한다. 식구들은 전부 들에 나가 일을 하고 있었고, 큰형수님 혼자 부엌에서 점심 준비를 하고 있었다. 나는 우리 집 막내로 귀여움을 독차지 하고 있었고, 버릇 없이 막무가내로 생활했던 모양이다. 형수님 혼자서 식사 준비를 하느라 눈 코 뜰새 없이 바빴는데, 나는 그것도 모르고 부엌으로 들어가서 부지깽이로 불장난을 하며 놀다가 자주 두

들겨 맞기도 했다.

그날도 형수님이 식사 준비를 위해 우물에 물을 길러러 갔다. 나는 부지깽이에 불을 붙여 아래채에 있는 땔감 집동에 부지깽이를 갖다 대었다. 처음엔 연기가 나고 작은 불씨가 보이길래 신기했다. 작은 불씨가 점점 커졌고, 불은 삽시간에 지붕까지 활활 타기 시작했다. 어린 나이에 그 상황이 너무 무섭고 두려웠다. 큰일이 났다는 생각에 엉엉 울면서 우리 집 뒷산으로 도망가 버렸다.

그 사이 형수님은 물동이를 이고 집으로 돌아왔고, 우리 집에 불이 난 것을 보고 놀라 물을 뿌리며 불을 끄느라 야단법석이었다. 동네앞 들에서 일을 하고 있던 식구들은 말할 것도 없고, 이웃집 그리고 다른 동네 사람들 모두가 달려와 물동이를 이고지고 죽을 힘을 다해 불을 끄기 시작했다.

약 한 시간이 지나서야 겨우 불길이 잡혔고 한숨을 돌렸다. 아버지께서는 큰형수에게 이 일이 어찌된 것인지 물었다. 형수는 물을 길러 간 사이 내가 불장난을 해서 불이 난 것이라 말했다. 식구들은 모두 나를 찾기 위해 뒷산으로 왔다. 벌써 날은 어두워져 캄캄해져 오는데 불을 낸 아이가 없으니 모두들 "윤제야!"라고 불러대며 찾았다. 그때 나는 산 중턱 바위 밑에 꼭꼭 숨어 있었다. 아버지, 어머니, 형님 두 분, 그리고 누나까지 헤매어 다니며 나를 불렀다. 나는 너무 큰 실수라 잡히면 맞아 죽는 줄 알았다.

한참을 숨어 있었는데 누나의 목소리가 들려서 눈물이 났다. "윤제야 어디 있노? 너무 놀랐지. 아무 걱정 말고 나온나"라는 누나의 목소리였다. 누나의 목소리에 안도의 마음이 생겼다. "누나. 누나. 나 여기 있어."하고 울면서 지나가는 누나 치맛자락을 잡았다. 그때 누나는 나를 당장 엎고는 "윤제 찾았습니다"라며 소리를 질렀다.

그 길로 나는 집으로 돌아와 안방 이불속에 가만히 누워 있었다. 엄마는 방에 아무도 못 들어오게 하고는 먹을 것을 주며 나를 안심시켜 주셨다. 부지깽이 화재 사건 이후 나는 아버지와 형님들이 엄청 무섭고 두려웠다. 아마도 나의 소심한 성격은 그때부터 시작된 것이 아닐까 생각한다.

2. 나의 청춘

　나는 시골 중학교 출신이다. 당시에는 수재라야 들어간다는 부산의 명문고등학교에 진학했다. 졸업과 동시에 공군사관학교에 진학하기 위해 시험을 쳤다. 그러나 마지막 신체검사에서 혈압이 높아 낙방하고 말았다. 꿈을 포기할 수 없었다. 끝내 공군 하사관학교에 입학해 공군 중간 간부가 되었고 항공 관제탑에서 근무하게 되었다.

　20대 후반에 군대 생활을 하게 되었다. 진급을 했고, 영외 근무를 하며 부대로 출퇴근하게 되었다. 근무를 마치고 퇴근해서 밤늦은 시간까지 영화를 보기도 하고 취미 생활을 하며 지냈다. 휴일에는 관광도 하고 즐겁게 지냈다. 당신에 가장 힘든 일은 끼니를 손수 해결해야 한다는 거였다. 내가 살았던 동네는 산골이라 옹달샘에서 물을 길어 먹어야 했다. 양동이를 들고 집 앞에 있는 옹달샘에 가면 동네 아낙네들과 마주쳤다. 군복 입은 나를 보고 아줌마들은 반갑게 인사를 했는데 아가씨들은 수줍어하며 아무 말을 하지 않았다.

그렇게 몇 달이 지나고 수줍어하던 아가씨와 자연스럽게 인사를 나누며 이야기를 나누게 되었다. 우리 마을에 가설영화관이 온다며 스피커 소리가 요란했다. 동네 사람들은 모두 가설극장으로 모여들었고, 북새통을 이뤘다.

겨울 어느 날이었다. 동지라 팥죽을 먹는 날이었다. 내가 퇴근해서 집에서 책을 보고 있는데 인기척이 나서 문을 열고 나가 보았다. 며칠 전 옹달샘에서 만난 아랫집 아가씨였다. 그 아가씨는 팥죽을 들고 있었다.

"아저씨 동지팥죽 한 그릇을 가지고 왔습니다."고 했다. 고맙고 반가워 날씨가 추우니 방으로 좀 들어오라고 했고, 아가씨는 방으로 들어왔다. 아가씨는 찹쌀이 귀해 수수로 새알을 만들고, 보릿가루로 죽을 끓였다고 했다. 팥죽을 가져온 정성이 고마웠으나 맛이 없어 도저히 먹을 수가 없었다.

공군 항공기 승무원 자격시험에 합격했고, 산골 생활에서 벗어날 수 있었다. 수줍음이 많았던 그 아가씨와는 이후 잠깐의 감정이 오가긴 했으나 자격시험 합격 이후 자연스럽게 감정이 정리되었다.

나는 공군 항공기 승무원 자격시험에 당당히 합격해 교육을 받았고 S-2라는 해 군정찰기를 운행하게 되었다. 내가 운행한 해군 정찰기는 북한 간첩선 침투를 막는 임무를 수행했다. 그 해 나는 산골 생활에서 K2 대구 비행장으로 전출하여 빨간 비행복을 입고 공중 근무를 하는 멋진 공군이 되었다.

3. 고장난 버스

지금부터 50여 년을 거슬러 올라가 공군 팔공산 부대생활 때 이야기다. 공군 생활 3년 만에 영외거주가 시작되어 팔공산 바로 아랫마을에서 살게 되었다. 4일간은 부대에서 근무를 하고, 3일은 영외에서 쉬는 근무 교대제로서 주로 쉬는 날에는 조용히 숙소에 있었다. 하루는 대구 시내버스를 타고 외출을 하게 되었다. 늦게 까지 대구 시내에서 놀다가 버스를 타고 귀가하는데 도중에 버스 가 멈춰 섰다. 집까지는 아직 10킬로는 더 가야 하는데, 차가 고 장 나서 멈춰 버렸다.

더 이상 운행할 수 없다는 버스 기사의 말에 모든 승객이 당 황하게 되었다. 어떡해야 하나 고민하다 갑자기 용맹스런 자신이 생겨 걸어가야겠다고 생각했다. 군인은 나밖에 없었다. 부대에 들어가기 위해서는 별도리가 없었다. 캄캄한 시골의 좁은 도로라 두렵고 어둡긴 했으나 죽기 살기로 걸었다. 한 시간 정도 걸었던 것 같다. 지나가는 사람은 없고 차량이 한 대도 다니지 않았다. 얼마나 정신없이 걸어왔는지 온몸에는 땀으로 범벅이 되었다. 아무도 없는 주변에 인기척이 들렸다. 뒤돌아볼 수 없었다. 걸을수록 점점 발자국 소리가 가까이 들렸다. 용기를 내어 뒤를 돌아보았다. 젊은 아가씨였다. 너무 놀랐다. 고장 난 차에 함께 탄 사람이었고 나를 믿고 멈추지 않고 계속 걸었다고 했다.

내가 사는 대율동까지는 아직 십 리를 더 걸어야 했다. 일단 숨을 돌릴 마음으로 냇가에서 쉬게 되었다. 한여름이라 땀이 범벅이었다. 얼굴을 먼저 씻었고, 너무 더워 웃통을 벗고 등목을 했다. 그런데 그 아가씨도 너무 더웠는지 가볍게 씻고 곁에 앉아 쉬며 대화가 시작되었다. 어떻게 여기까지 따라 왔느냐고 물었더니 아가씨가 하는 말이 다른 버스 승객들은 모두 주변 동네 친인척집에 머물게 되었고, 자신은 혼자 용기를 내어 걸어오게 되었다고 했다. 한 시간을 넘게 뒤따라 왔다고 한다. 여자의 몸으로 아무도 다니지 않는 첩첩 산골을 어떻게 나를 따라왔으냐 물었다.

아가씨의 말은 자기는 대구에서 직장을 다니는데 아버지가 몸이 아파서 약을 지어 오는 길이고, 오늘 밤늦게라도 아버지께 약을 가져다드려야 했다고 한다. 어떻게 할까 고민하다 걸어서라도 집으로 가자 마음먹었다고 한다. 그런 절박한 상황에서 나를 만나게 되어 너무나 고맙고 기적 같은 인연이라고 했다. 우리는 동네 입구에 도착했고, 아쉽지만 그 아가씨와 인사를 하고 헤어졌다.

어느 날 그 아가씨에게 편지가 왔다. "고마운 군인 아저씨"라는 제목으로 깨알 같은 내용이 적혀 있었다. 그날 내가 아니었다면 집에 돌아올 수 없었을 것이고 아버지의 약을 드리지 못했을 것이라는 감사의 인사였다.

그 후 한참이 지났고, 우리 동네에 가설 명화극장이 들어섰다. 어느날 꼬마 한 명이 쪽지 하나를 건냈다. "동네 뒷산에 있는 당산 나무에서 기다리겠습니다."라는 편지였다. 그때가 10월 중순이었고 산골 마을은 10월이면 제법 쌀쌀했다. 나는 두꺼운 공군 잠바를 걸치고 당산 나무까지 한달음에 달려갔다. 바로 그 당산나무 아래 그때 그 아가씨가 혼자 기다리고 있었다. 참 영화같은 만남이었다.

지미자

1. 행복했던 유년 시절

내가 태어난 곳은 반월동 57번지 빨강 벽돌집에서 1남 6녀의 셋째로 태어났다. 동네 사람들은 우리 집을 빨강 벽돌집이라 불렀다. 우리 집은 남의 사람이 많았다. 우리 집 큰 곳간 앞에는 큰 통 다섯 개가 있었다. 그 통에는 감천의 소작인들이 농사를 짓고 가져다주는 곡식을 보관했다. 우리 집은 대식구가 함께 살았다. 할머니와 부모님 형제 7명, 친척 할머니, 일하는 언니 2명까지 합치면 모두 11명이 살았다. 나는 몸이 약한 편이나 병치레를 자주 했고, 덕분에 가족들에게 사랑을 많이 받았다.

우리 동네에는 아이들이 많았다. 우리는 자주 모여서 숨바꼭질도 하고 노래자랑과 연극을 하며 놀았다. 숨바꼭질을 할 때 언니가 우리 집 텃밭에 파놓은 호박구덩이에 빠져 난리가 났다. 옛날에는 비료나 거름이 흔하지 않아서 호박이 잘 자라라고 똥을 거름으로 주었는데, 그 구덩이에 언니가 빠진 것이다. 똥통에 빠진 언니를 우리 집 강아지 마찌가 핥고 있는 광경을 보고 얼마나 웃었는지 모른다. 지금도 그 모습을 상상하면 웃음이 난다. 옛날에는 똥통에 한 번 빠지면 연이어 빠진다는 미신이 있었는데 그때 수수떡을 해먹야 더 이상 똥통에 빠지지 않는다고 했다. 할머니께서 언니를 위해 수수떡을 해서 나누어 먹었던 기억이 난다.

국민학교 시절에 이웃 오빠들과 함께 백설공주 연극을 했던 기억이 난다. 동네 오빠 중 근식이 오빠가 있었는데, 근식이 오빠는 나에게 백설공주를 하라고 했다. 평소에 예쁜 옷도 많고 얼굴도 예뻐서 내가 백설공주를 해야 한다고 했다. 친구 영숙이는 마귀할멈을 하라고 말했는데 그날 영숙이는 투덜대며 연극을 안하겠다고 해서 오빠들이 영숙이를 달래며 연습을 했다.

우리는 매일 학교를 마치면 모두 모여서 열심히 연극 연습을 했다. 백설공주 연극은 추석날 막이 올랐다. 던 생각이 난다. 동네 부모님들을 모두 초대했다. 재기 오빠가 입장료를 10원씩 받기로 했다. 재기 오빠집 마루가 넓어 그곳에 무대를 꾸몄다. 어떻게 연극을 했는지 정신없이 지나갔다. 연극이 끝나고 커튼 뒤에서 기다리고 있는데 박수 소리와 잘했다는 칭찬 소리에 기분이 좋았다. 백설공주 연극은 성공 소식은 옆 동네까지 소문이 났다.

세월이 흘러 중학교에 입학하기 전 3.15 의거가 났다. 영숙이랑 귀남이랑 셋이 신작로 본길로 구경을 나섰다. 데모에 휩쓸려 중앙동 파출소까지 따라갔다. 언니들이 너도 이제 중학생이니 데모에 동참하라고 했다. 엉겁결에 인파에 합류했다. 함께라는 것이 좋아 웃음이 났다. 마산 오동동 다리까지 가서 해산했다. 겁도 났지만 신나고 재미있었다.

중학교 입학을 하고 2학년이 되었을 때 언니는 나에게 모파상의 《여자의 일생》을 나에게 선물해 주었다. 나는 그 책을 밤새 읽었고, 내용이 너무 궁금해 한문 시간에 몰래 읽다 선생님께 발각되어 책을 뺏기고 말았다. 교무실로 호출이 되었다. 잔뜩 겁먹은 얼굴로 고개를 죽이며 교무실로 들어갔더니, 선생님께서 이 책은 아직 너가 볼 책이 아니라고 다른 책 한 권을 주셨다. 제목이 《살얼음 디딘 소녀》였다. 너무 재미가 있어서 단숨에 읽었다.

세월이 흐르고 보니 옛날 그리운 시절이 주마등처럼 스쳐 간다. 내가 중학교를 입학하던 시절 돌감나무집 둘이는 차장으로 가고 순자, 영애는 남의 집으로 간다고 모여 울며 위로했다. 늦은 시간까지 이야기하다 모두 기분 좋게 웃었던 기억이 생생하다. 그때는 가난한 시절이라 하고 싶은 공부와 일을 한다는 생각을 못했다. 그저 어른들이 시키는 대로 해야 한다고 생각했다. 참 좋았던 친구들이었는데 그 후로는 만나지 못했다. 내 나이 팔순이 되고 보니 그때 그 시절을 함께 했던 친구들이 그리워 마음이 아려온다. 혼자 있는 밤이면 더 그리워진다.

귀뚜라미 소리가 들리면 나는 그때를 생각하며 이 노래를 부른다.

"귀뚜라미가 또르르 우는 달밤에
멀리 떠나간 동무가 그리워져요.
손잡고 뛰놀던 내 동무
그곳에도 지금 귀뚜라미는 울고 있을까?"

그때 그 친구들이 참 많이 보고 싶다.
근식 오빠는 KBS의 음악 감독이 되었다는 소식을 들었다.
재기 오빠의 소식은 못 들었다.

2. 성숙했던 청춘 시절

　나에게 청춘이란? 고등학교를 졸업하는 날부터 시작되었던 것 같다. 졸업식을 마치고 친구들과 창동 거리를 점령해 깔깔대며 소란을 피우다 경찰에게 걸려 훈계를 들을 때부터 시작되었다.

　집에서 빈둥대며 지내다 할 일이 없을까 생각했다. 서울 육촌 오빠 집으로 갈 마음을 먹었다. 오빠는 경찰 공무원이라 잘 살았고, 당시 우리 오빠도 서울법대를 그곳에서 다녔다. 부모님께 서울을 가겠다는 허락을 받은 뒤 난생처음 기차를 타고 서울역에 내렸다. 오빠가 마중을 나와 있었다. 육촌 오빠 집에서도 할 일 없이 지루한 나날이었다. 오빠가 보다못해 종로세무서에 취직을 시켜주었다. 종로세무서는 미아리에서 종로까지 버스를 타고 가야

하는데 버스 안은 사람이 짐짝같이 너무 많아 도저히 탈 수가 없었다. 다시 집으로 돌아오니 육촌 오빠가 호되게 나무랐다. 이 정도 마음가짐으로 서울 생활을 어떻게 헤쳐나갈거냐며 야단쳤다.

다음 날부터 나와 전쟁이었다. 나는 인간이 아니라 짐짝같이 부딪히고 밟히며 만원 버스를 타야 했다. 첫 출근 이 주사님이 나를 부서로 배당해 주겠다. 세무서에는 모두 주사님으로 호칭을 불렀다. 종로세무서 생활은 인생을 많이 배우는 배움터였다. 추운 겨울날 세무서에 손님으로 온 나영희 동창을 만났다. 얼마나 반가운지 눈물이 났다.

어려운 서울 생활을 이야기하며 영희는 가족이 이사를 왔다고 한다. 영희 사촌 오빠들과 어울려 덕수궁과 창덕궁으로, 서울 구경도 다니고 즐겁게 놀았다. 어느 날 영희가 나에게 자취를 같이 하자고 했다. 그래서 둘이 모은 돈으로 옥수동에 방 한칸을 얻었다.

한 달쯤 되었을까 연탄불 위에 고구마를 얹어놓고 둘이 깜박 잠이 들었다. 깜짝 놀라 부엌문을 여니 연기가 자욱했다. 그 연기를 보고 이웃집에서 소방서에 연락해 소방차 한 대가 소리를 내며 집으로 왔다. 불은 나지 않았는데 연기 때문에 우리는 경찰서로 불려 갔다. 그때가 한 밤중이라 조사를 받아야 하고 벌금도 물어야 한다 생각하니 눈물이 났다. 한참을 울며 걷고 있는데 어느 노신사가 왜 우느냐고 말을 걸어왔다. 노신사는 머뭇거리는 우리를 보며 복주머니 모양의 신분증을 보이며 안심을 시켰다. 걱정 말고 이야기 해보라고 했다. 지방에서 올라온 것부터 자초지종을 이야기했고, 노신사는 집으로 가 보자고 했다. 집에 도착해 집을 둘러보시고는 말했다. 자신은 국정원 직원이며 걱정 말고 잠을 자도 된다고 우리를 안심시키고 귀가했다. 그 뒤로 경찰서에서는 특별한 연락이 없었다. 우리는 그 집을 나왔는데, 영희는 집으로 가고, 나는 고시를 합격한 오빠를 따라 고향으로 돌아왔다. 나의 고향 마산은 친구가 있는 포근한 곳이다. 이 글을 쓰면서 국정원 노신사가 생각이 났다. 국정원 마크가 아직도 복주머니 마크인지 그분은 어떤 분인지 궁금하다.

아버지께서 아시는 분을 통해 창동에 있는 제약회사에 취직을 시켜주셨다. 그곳에서 나는 창동 일류 양장점 뉴델리에서 옷을 맞춰 입고 멋을 부렸다. 그 시절에는 기성복이 나오지 않아 대부분 옷을 맞춰 입었다. 어느 날 친구와 고려당에서 빵을 먹고 있는데 장교 한 분이 우리와 합석을 하자고 했다. 얼굴도 잘생기고 선해 보여서 합석했다. 합석한 장교는 자기소개를 했다. 자신은 육군 대위이고 폐결핵에 걸려 가포 요양 병원에서 요양 중이라고 했다. 지금은 균이 다 사라진 상태라 안심해도 된다고 했다. 우리는 결핵균이 문제가 아니라 멋있는 장교분이 우리 곁에 있다는 것이 참 좋았다. 우리는 빵과 아이스크림을 맛있게 먹고 헤어졌다. 며칠이 지나고 퇴근하는데 그분이 회사 앞에 와 있었다. 반가웠다.

처음 만났던 고려당으로 가서 아이스크림을 시켰다. 나는 정신 나간 사람처럼 아이스크림이 녹는 줄도 모르고 이야기를 듣고 있었다. 내 옷에 아이스크림이 묻었고, 그분이 옷에 묻은 아이스크림을 닦아 주었다. 기분이 좋았다. 그 장교는 나에게 말했다. 내일 퇴원하여 서울 본부로 돌아가니 주소를 가르쳐 달라고 하였다. 그 후로 편지가 오고 가다 소식이 끊겼다. 생각해 보니 이것이 나의 첫사랑이었던 것 같다. 가끔 생각이 난다. 어떻게 지내는지 궁금하다. 제약회사에서 나를 좋아하는 약사가 있었다. 나에게 밥도 사 주고 친절하게 해주었지만, 나는 마음이 가지 않았다. 제약회사를 몇 년 다니다 아버지 친구분 동생과 선을 보고 지금의 남편을 만났다. 제약회사 약사는 나의 결혼 소식을 듣고 마음이 아파 사흘을 결근했다고 한다. 그 분에게는 내가 첫사랑이었던 것 같다. 마음 앓이는 이해가 된다. 나도 그랬으니까

세월이 흘러 그 약사도 결혼을 했는데 친구를 통해 한번 보고 싶다고 연락이 왔다. 그 순간 김남조 시인의 산문집에서 읽은 기억이 떠올랐다.

"첫사랑은 세월이 지나 만나는 게 아니다. 추억으로 남겨 놓아야 한다. 나이 들어서 만나면 환상이 깨져 서로가 아픔으로 남는다."

만나자는 연락이 몇 번 왔지만 나는 만나지 않았다. 옛 추억을 생각하면 크고 작은 일들을 겁 없이 부딪히며 성숙으로 한 걸음씩 달려온 것 같아 참 행복하고 감사하다.

3. 나의 소확행

　작은딸은 미국인이 되어간다. 미국 맨해탄에 있는 콜롬비아대학교에서 박사학위를 따러 간 지 벌써 이십오 년의 세월이 흘렀다. 소소한 행복에 대한 글을 쓰면서 알게 되었다. 딸은 미국에서 사위를 만나 결혼을 했다. 사위는 서울대학교를 졸업하고 경제박사학위 공부를 위해 미국으로 건너갔고, 딸은 정치외교 박사학위 공부를 위해 미국으로 갔다. 두 사람은 공부를 위해 미국을 갔고, 부부의 인연을 맺고 행복하게 살고 있다. 사위는 뉴욕 윌가에 '모건스텐리'에서 증권분석가로 일하고 있고, 딸은 뉴욕 외교통상부에서 일하다 지금은 개인 컨설팅을 하고 있다.

　20여 년 전 딸이 연세대학교를 다닐 때 총장님께서 학부모를 초청하여 강의를 진행한 적이 있었다. 총장님의 강의 중에 마음에 새긴 말씀이 있다. "지금 시대는 한 가지만 똑 부러지게 잘하면 성공한다."는 말씀이었고, 그때 그 말이 귀에 쏙 들어왔다. 지금 생각해 보니 그때 총장님의 말씀이 맞았던 것 같다.

나는 미국을 자주 오갔다. 처음 미국을 갔을 때 넓은 센트럴파크를 둘러보며 이 나라는 축복받았다는 느낌이었다. 뉴욕에서 크고 작은 공연을 보았는데 조수미의 공연을 잊을 수가 없다. 소리를 가지고 노는 느낌을 받았다. 같은 나라의 동질감이랄까 보는 내내 감동이고 황홀했다. 외국은 한국보다 비행기 값이 싼 편이라 스위스를 비롯해서 13개국을 여행했다. 그중에 기억나는 것은 이스라엘 여행이다. 이스라엘은 공항을 내릴 때부터 긴장감이 돌았다. 이스라엘 여행을 다니는 내내 초긴장 상태로 여행했다. 케백의 가을 단풍은 지금 생각해도 잊을 수가 없다. 지금도 넓은 초원을 보면 그때 생각에 달리고 싶단 생각이 든다. 문득 내가 이렇게 행복해도 될까라는 생각이 든다. 교만해질까 늘 돌이켜 보며 조성모의 가시나무새 노래 가사를 읊어본다.

"내 안에 내가 너무도 많아 내가 갈 곳을 잃고 있구나 하고…" 이 노래를 흥얼거리며 교만해지지 말자고 나를 다독여 본다. 품위 있고 존엄하게 생을 마감하는 아름다운 죽음을 생각하며 삶이 다하는 날까지 감사하자 생각한다.

어쩌다 보니 황혼이다.

"마음은 놓아두고 나이만 먹었다."

어느 책에서 읽은 기억이나 마음에 와닿았다.

칠순 후반 나에게는 지금이 가장 빛나는 청춘이다.

세월 끝자락에 서 있는 나에게 멋진 인생이라고 격려해 본다.

자서전 쓰기를 만나지 못했다면 즐거움이 지금 같을까 반문해 본다.

며칠 전 병원에서 친구를 만났다. "어쩜 너는 변하지 않고 그대로야!" 우리는 마주 보며 즐겁게 웃었다. 친구의 따뜻한 마음에 겸손을 담아 보련다. 황혼의 밥그릇에 멋있고 아름다운 마음만 담아보자고 다짐해 본다.

하종정

1. 나의 청춘 시절

　나는 어린 시절 어머니를 일찍 잃고 새어머니에게서 자랐다. 어머니께서는 항상 나를 불쌍히 여겼다고 한다. 어머니는 어린 내가 아랫방에 잠들어 있으면 옆에 와서 젖꼭지를 입에 물려주는 모습을 동네 어르신들이 자주 보았다고 한다. 어머니의 모습을 본 사람들은 다시 온 어머니가 자식한테 잘하는 모습을 보고 동네에는 어머니의 칭찬이 자자했다고 한다. 어머니의 모습을 본 아버지는 늘 고맙게 생각하며, 어머니께 하고 싶은 것이 있다고 하시면 모든 것을 정성껏 해 주었다. 그런 부모님 덕분에 나는 삼남일녀의 막내로 자라면서도 사랑받고 살았다.

　초등학교를 입학식이 있는 날이었다. 처음 학교에 가는 날이라 그날은 어머니와 같이 손을 꼭 잡고 학교로 갔다. 어머니는 항상 좌측통행과 차를 조심해야 한다고 당부하셨다. 입학식을 마치고 담임 선생님께서 우리에게 주의 사항을 당부하시며 학교 앞 정문까지 인솔해 주셨다. 기분 좋게 학교 정문을 나오는데 어머니가 서 계셨다. 어머니는 나에게 다가와 손을 꼭 잡으면서 재미있었냐고 물었다. 나는 대답 대신 그냥 웃으면서 기분 좋게 어머니의 손을 잡고 집으로 돌아왔다. 그날 교문에서 나를 기다리는 어머니의 모습을 아직도 잊을 수가 없다.

시골에서 고등학교를 졸업하고 사회진출의 기회를 얻기위해 해병대를 지원했다. 군대를 마치고 집에 돌아오니 부모님께서는 나이 든 부모가 부엌 문턱을 드나드는 것을 보고만 있지 말고 결혼부터 하라고 하셨다. "직장도 없는 나에게 결혼 할 사람이 있겠습니까. 조금 있다가 직장을 가지고 하겠습니다."라고 말했다.

얼마가 지난 어느 날 직장을 구하기 위해 부산에 사는 친구에게 갔다. 나는 친구에게 부탁을 했고, 친구는 나에게 공무원 생활을 해보겠느냐 물었다. 그때 마침 부산에 9급 공무원인 군속을 모집한다고 했다. 나는 공무원은 정년이 보장되기에 좋다고 하였고, 즉시 고향으로 내려와 입사 서류를 보완해 접수를 했다. 그 후 한 달이 지나고 합격통지서를 받았다. 그때 합격 소식을 받았을 때 기쁨은 말로 다 표현할 수가 없었다. 그 후 신원조회를 마치고 출근 소식을 들었다.

출근을 위해 집을 떠나야 하는 상황이라 부모께 합격 소식을 말씀드리기가 무척 힘이 들었다. 막내로서 부모를 고향에 그냥 두고 부산으로 가야 하니 마음이 아팠다. 부모님께 상황을 상세히 말씀드렸다. 이제 직장을 잡았으니, 부모님을 잘 모시도록 노력하겠다 말씀드렸다. 그때 부모님은 대답 없이 묵묵히 가만히 계시다가 이런 말씀을 하셨다. "우리 동네 이장이 없는데, 이장하며 농사지으면 될텐데." 아마도 막내아들이 부모님의 곁을 떠나려니 마음이 허전하셨던 모양이다.

2. 작은 아버지와 헤어지던 날

　어느 날 작은아버지께서 동네 앞 냇물에서 목욕을 하게 되었다. 작은아버지의 몸 상태가 좋지 않아서 가족들은 목욕을 말렸다. 고집이 센 작은 아버지는 자신이 원하는 대로 목욕을 하셨다. 목욕을 하신 후 작은아버지는 세상을 떠나게 되었다. 작은아버지께서 세상을 떠나게 된 이유는 목욕을 하려고 옷을 벗고 속옷 차림으로 바위를 딛고 내려가던 도중에 미끄러져 돌아가시게 되었다. 원래 심장이 좋지 않았던 분이라 그에 따른 다른 합병증도 있었다. 사망하신 작은 아버지를 발견한 사람은 동네 아주머니였다. 그 아주머니는 빨래를 하기 위해 냇가로 나가셨다가 냇가 물 위에 사망한 상태로 떠 있는 작은 아버지를 발견한 것이다. 동네에는 사람들이 일하러간 낮시간이라 사람들이 없었다. 다행히 형님께서 소식을 듣고 작은아버지를 등에 업고 집으로 왔다. 장례는 삼일장으로 치러졌고, 모든 분께 슬픈 소식을 알렸다.

내 고등학교 친구가 작은아버지의 소식을 듣고 조문하기 위해 집으로 오겠다고 했다. 나는 아직 입관도 안 된 상태라 다음날 집으로 오라고 했다. 다음날 조문을 온 친구가 슬퍼하는 나를 보며 술이나 한 잔 하자고 했다. 이런 날에는 술을 마시는 것이 불편하다며 친구의 말을 거절했다. 지금 생각하니 슬픔을 느낄 나를 위해 위로를 하려고 건넨 친구의 마음이었을 텐데 나만 보았던 그때 상황을 생각하니 친구에게 미안한 생각이 든다.

3. 아내를 만나러 가던 날

신부를 처음 만나는 날이다. 신부를 만나기 위해 모든 준비를 마치고 부모님께 인사를 드린 후 집을 나섰다. 동네 사람들이 우리를 보느라 돌담 밑에서 기다리고 있었다. 낯선 얼굴이었지만 동네 사람들에게 일일이 인사를 했다. 동네를 걸어서 오는데, 나는 앞서 걷고 신부는 나와 약간 떨어져 걸어오고 있었다.

신부집에 도착해 집으로 들어가니 친척들이 맛있는 음식을 해놓고 기다리고 있었다. 처제의 안내를 받으며 사람들이 있는 방으로 들어갔다. 친인척들이 방으로 들어와 앉은 뒤에 처제는 한 분 한 분 소개를 해주었다. 저녁이 되었다. 저녁을 먹고 나니 동네 젊은 청년들이 들어왔고, 우리는 인사를 했다. 예전부터 내려오는 풍습으로 장가를 가는 새신랑을 매다는 풍습이었다.

방으로 술상이 들어왔고, 서로 술을 권하고 이야기를 했다. 한 청년이 이 집에 어떻게 온 것이냐며 나에게 물었다. 나는 특별히 온 것이 아니라 길을 가다 아름다운 한 여성이 길을 헤매길래 이 집까지 모셔다 드리러 왔다고 했다. 그러니 밤이 늦었는데 이렇게 오래도록 있다 가면 되겠습니까라고 화답했다. 나는 어쩔 수 없이 늦은 시간이라 자고 갈 수밖에 없다고 했고, 젊은 청년들과 나는 고성이 오가자 장모님께서 막걸리를 한 박스 가지고 방으로 들어

오셨다. 장모님께서는 너무 심하게 달지 말라고 부탁하셨고, 나는 술상이 들어왔으니 "잘 봐주게"라며 말했다.

나는 아내와 오십구 년의 긴 세월을 살아왔다. 아내와 함께 한 날들을 뒤돌아보니

미안한 마음이 든다.

아내와 첫 시작도 우여곡절이 참 많았다. 아내는 나를 만나서 결혼하여 도시로 살림살이를 나간다고 좋아했다. 아내가 시집오던 날 어머니는 며느리에게 줄 것이 마땅하지 않아 자신이 평생 사용하시던 재봉틀을 아내에게 선물로 주셨다. 아내는 어머님의 귀한 물건이라 그럴 수 없다고 했으나 어머니의 말씀을 거역할 수 없어 재봉틀을 가져오게 되었다.

형과 형수는 우리가 신혼살림을 나간다는 말에 열일을 제쳐놓고 이삿짐을 남해 노량 선착장까지 옮겨 주었다. 신혼살림을 옮기는 날이라 나와 아내는 들떠 있었고, 아내는 선착장으로 짐을 옮기던 도중 신발 한 짝이 바다에 빠지고 말았다. 형은 신발 한 짝을 잃어버리고 안절부절 못하는 아내를 보며 안쓰러워했고, 근처 신발가게로 가서 신발 한 켤레를 사 주며 곧 출항하니 이사할 준비를 하라며 아내를 안심시켜 주었다.

이사를 하던 날 너울성 파도가 일기 시작했고, 출항 여부가 결정되지 않았다, 아내는 행여나 마중을 나오기로 한 오빠가 날씨 때문에 나오지 않을까 봐 걱정을 했고, 다행히 우리가 탄 배는 남해 노량 선착장을 출발해 부산항에 무사히 도착했다. 부산에 도착한 우리 부부는 주변을 둘러보았다. 한참을 기다렸으나 마중을 나오기로 한 형님이 보이지 않았다.

항구에 있던 근로자가 우리가 탄 배로 올라와 짐은 어디에 있냐고 물었고, 우리 부부가 가져온 이삿짐 전체를 옮기기 시작했다. 배를 탄 사람의 짐은 그냥 옮겨 주는 것으로 생각하고 지켜만 보았다. 이삿짐을 다 옮긴 근로자는 물건을 옮긴 하역비를 요구하였고, 없는 살림에 눈물을 머금고 하역비를 지불해야만 했다.

우리는 낯선 부산에서 어떻게 해야 할 지 몰라 안절부절했다. 아내는 근처에서 교통 정리를 하던 순경에게 다가가 도움을 요청했다. 다행히 다음 날 형님을 만날 수 있었고, 아내는 어젠 왜 마중을 나오지 않았으냐며 형님에게 따져 물었다. 형님은 파도가 심해 배가 오지 않을 것이란 직원의 말을 듣고 나온김에 친구와 같이 영화관람을 하러 갔다고 했다. 아내는 형님에게 마중 나오기로 한 사람이 어떻게 영화 구경을 가냐며 노발대발했고, 형님은 정중히 사과를 했다.

나는 아내와 첫 출발을 하며 아내에게 믿음직한 남편이 되어주지 못했다. 아내의 신발이 바다에 빠진 것도 형이 해결해 주었고, 하역비를 지불하고 숙박비가 없어 안절부절하던 때도 나보다 아내가 먼저 순경에게 도움을 요청했다. 지리를 몰라 밤새 어려움을 겪었던 날도 나는 아내의 든든한 남편이 되어주지 못했다.

아내와 함께 살아온 시간 동안 '여보'라며 따뜻하게 불러주지 못했다. 마음은 아닌데 표현이 어려운 나를 믿고 지금껏 열심히 살아준 아내가 참 사랑스럽고 고맙다.

문경자

1. 나의 어린 시절

나의 어린 시절은 창원 용지동 작은 동네 문 씨들만 모여 살던 곳이다. 할아버지와 할머니가 계셨고 마당엔 커다란 소 한 마리가 사립문을 지키고 있었다. 나는 엄마 소가 새끼 낳을 때 유심히 본 적 있다. 신기해서 쪼그리고 앉아서 지켜보았는데, 소의 궁둥이에서 하얀 풍선이 크게 나오더니 예쁜 송아지가 나왔다. 송아지가 태어나자마자 일어서는 모습이 신기했다. 물에 젖은 듯한 아기 송아지를 엄마소가 혀로 핥아 깨끗이 닦아주니 더 예뻤다.

엄마가 있어야 한다는 것을 알았다. 그 시절 나와 동생은 꼬맹이였다. 오래도록 보이지 않는 아버지는 6.25전쟁에 참전했다는 정도만 알았다. 평소에 할머니와 엄마가 우리를 잘 챙겨 주었기에 아버지에 대한 그리움은 모르고 살았다. 전쟁이 끝나고 아랫마을과 우리 마을 청년들이 모두 죽었다는 소식을 듣고 가족들이 통곡하는 것도 보였다.

우리 아버지는 아무 소식도 없이 돌아오시지 않아 가족들이 모두 걱정했다. 해가 저물고 밤이 되면 삼촌, 고모, 아지매, 가족 모두가 한방에 모여서 힘든 엄마를 위로해 주셨다. 가족들은 어린 나를 예쁘게 봐주셨다. 하루는 나를 다리 밑에서 주워 왔다며 엄마 딸이 아니라고 했다. 나는 큰소리를 내며 울었던 기억도 생각난다. 한참을 지났는데도 아버지는 소식이 없었다. 나는 엄마의 슬픔을 몰랐고, 매일 동네 아이들과 모여서 조개 껍질과 풀을 뜯어서 밥 짓고 각시놀이를 하며 깔깔대고 놀았다.

재미있게 놀고 있을 때 들에 나가셨던 할아버지가 오시면 아이들은 다 도망가 버렸다. 방해꾼 할아버지가 무서웠다. 가끔 밖에서 동생을 데리고 놀다가도 엄마가 부르면 달려갔고 늦어서 꾸중을 들은 적은 별로 없었다. 할아버지의 목소리는 아주 크다. 하루는 할아버지께서 밭에 나간 엄마를 큰 소리로 불렀다. "경자야 아범이 돌아왔다." "경자야 아범이 돌아왔다." 아버지를 본 할아버지는 너무 기뻐하셨고, 그날 온 동네 사람들이 아버지를 보기 위해 집에 꽉 찼던 기억이 난다. 그날 엄마는 부끄러워 구석에 서 있던 모습 지금도 눈에 선하다. 아버지는 총탄은 피할 수 있었지만, 북한에 포로가 되어 끌려가 오랫동안 힘들었다고 한다. 아버지는 가족에게 돌아와야 한다는 간절함으로 견뎠다고 한다. 아버지는 갈대밭 평야로 옥수수 한 되를 배낭에 메고 훈련을 나갈 기회가 왔다고 한다. 이틀 밤낮동안 쏟아진 총탄에 갈대숲은 피바다가 되었을거라고 하셨다. 총소리가 멈추면 달이 떠 있는 방향을 보며 걸었다고 한다. 밤에만 조금씩 걸어서 강원도까지 오는데 몇 달이 걸린지도 정확히 알 수 없다고 하셨다. 긴 여정에 허기를 견디지 못해 몇 사람은 돌아가셨고, 경남 고성에 계시는 분과 아버지만 무사히 귀가 하셨다. 우리 집엔 몇 년 만에 웃음꽃이 피었다. 내 초등학교 시절은 공부와 놀이보다 아버지가 돌아오신 기쁨이 가장 컸다.

2. 내 삶의 터널

    나는 깊어 가는 가을밤 조용히 나의 삶을 뒤돌아본다. 너무 멀리 와버린 세월에 헤아릴 수 없는 아쉬움에 숙연해진다. 나는 나에게 묻는다. "뭘 하느라 이리도 바쁘게 달려왔을까?"

    나는 창원시 용지동 남평문씨들이 모여 살던 곳에서 태어났다. 우리 집은 가난했고, 나는 육 남매의 장녀라 힘든 어머니를 도와야 했다. 어머니의 힘든 일은 나의 일이었고, 내가 하지 않으면 안된다는 생각으로 살았다. 어머니를 도우며 짜증 한 번 내지 않는 나를 보며 집안 어른들은 내가 아버지를 꼭 닮았다고 하셨다.

    가족을 위해 행상을 하셨던 어머니는 가사와 행상일에 늘 바쁘셨다. 지금 생각해 보면 나는 너무 배려만 하고 산 것 같다. 가끔 옛 생각을 하다 보면 너무 양보만 하며 산 것이 후회될 때가 있다. 특히 맏이여서 아무도 나에게 조언하거나 세상에 대해 알려주는 사람이 없었다. 특히 배움에 대한 아쉬움이 크다.

나는 결혼을 하기 전 출가를 한 외사촌 언니를 따라 그 길을 갈까 고민도 했다. 그 당시에는 어떻게 사는 것이 좋은 삶인지 고민을 많이 했다. 마음이 힘들었던 당시 삼년 동안 편지를 주고받았던 사람이 있었다. 배려하고 양보하는 것에 이력이 난 나는 삼년의 시간을 뿌리칠 수 없었다. 고맙고 미안한 마음이 들었고, 그렇게 결혼한 사람이 지금의 남편이다.

남편은 키도 크고, 덩치도 좋았다. 마음도 어질고 성품이 좋고 정직했다. 젊은 시절 점원으로 취직해 상업에 능통했다. 남편과는 오십칠 년의 긴 세월을 함께했다. 슬하에 아들과 두 딸을 낳아 행복하게 살고 있다.

남편은 마산의 명동으로 불리던 마산 부림시장의 양품 가게인 '미화사'에서 총무를 맡았다. 당시 '미화사'의 매출을 최고로 올려놓은 사람이 남편이다. 남편은 참 열심히 살았고 참 정직했다. 그러나 남편의 정직함은 사람들 사이에서 이용하기 좋은 사람으로 보이게 되었고, 크고 작은 손해를 여러 번 당하기도 했다.

　남편의 나이 쉰여덟에 멋진 가게를 하겠다는 우리의 꿈은 무너져 버렸다. 친구에게 사기를 당했고, 경남은행 당좌수표 관계로 결국 교도소에서 일 년의 수감생활을 했다. 그 당시 고통은 말로 표현할 수가 없었다. 모든 걸 의지하고 살았던 의류 가게도 거래처에 넘기고 살던 집도 정리를 해야 했다. 어떻게든 살아야 했다. 교도소에 있던 남편을 의지할 수는 없었다. 혼자서 짐과 집을 정리하고 살 궁리를 했다. 생활비를 벌기 위해 쉰둘의 나이에 백화점에서 알바를 시작했다. 이십팔 년 전 백오십만 원의 월급을 받아 열심히 살았다. 지금 생각해 보면 그 시절 '경자'가 참 기특하고 대견해서 박수를 보내고 싶다.

　아무것도 모르는 남편이 출소를 했다. 나는 남편에게 우리 집이 없으니 동생집으로 가자는 말을 했고, 그런 나의 손을 잡고 눈물을 흘리는 남편의 모습은 지금 다시 생각해도 가슴이 먹먹해진다. 당당하고 듬직하던 남편의 어깨가 참 작아 보여 마음이 시렸다. 남편과 함께 무엇을 해야 이 힘든 터널을 무사히 통과할 수 있을까 고민했다. '곰탕집'을 열었고, 남편과 함께 정성을 쏟아 육수를 우리고 음식을 준비했다. 메뉴에 '소머리 전골'과 '국수'를 추가했다. 손님이 많아져 고맙기도 했고 힘들기도 했다. 힘들었을 텐데 배달까지 도맡아 열심히 살았던 남편이 참 고마웠다.

3. 나는 행복한 사람

난 지금 나를 위해 잘 살아보려고 노력하고 있다. 다른 사람들이 나를 보면 걱정 없이 행복해 보인다고 말한다. 그러나 난 아직도 슬픔에서 벗어나지 못하고 아프다. 내 마음속에 등불로 자리한 남편이 떠난 빈 자리가 슬프고 힘들다. 남편은 모든 걸 버리고 나를 떠났지만, 나에 대한 마음까지 가져가지는 않은 것 같다. 혼자 있을 때마다 눈물과 함께 찾아오는 남편의 빈 자리는 아프고 힘들다.

생전에 남편이 걱정하던 아들도 아버지가 남겨준 식당 고가네에서 최선을 다한다. 아들에게는 늦은 나이에 귀하게 얻은 아들이 있다. 요즘 아들과 며느리가 자신의 아들을 바라보는 미소를 보면 참 행복하다.

큰딸은 남편의 성품을 닮아 마음이 참 곱다. 사람들을 사랑하고 배려하는 마음이 천사같다. 예능쪽으로 재능도 있었고 꿈도 있었던 딸은 연극영화과에 지원했었다. 꿈에 그리던 연극영화과는 불합격의 고배를 마셨다. 삼수를 해 단국대 특수교육학과에 입학을 했고, 지금은 맹아학교 선생님으로 활동을 하고 있다. 좋은 인연을 만나 결혼을 했고, 지금은 삼남매의 엄마가 되어 최선을 다하는 모습이 대견하다. 나는 딸을 보며 깨달은 것이 있다. 인생의 시련은 나쁜 것만 있는 것이 아닌 것 같다. 딸은 가장 힘들었던 시간 삼수를 서울을 오갔던 시간에 사랑하는 남편을 만나 결혼을 했다. 사위는 잘나가는 대기업 지사장으로 오년째 중국 상하이에서 멋지게 살아가고 있다.

막내딸은 힘든 일이 있어도 혼자 해결하는 내성적인 아이다. 나를 꼭 닮았다. 서울에서 심리학 박사과정을 마쳤고, 진로 상담에 관련한 저서도 있는 유명 인사다. 지금은 서울노동부에서 자신의 전공을 살려 최선을 다하며 살고 있다. 아직은 독신이라 좋은 인연을 만났으면 하는 바램이 있다.

난 현재 별 걱정이 없다. 요즘 마음이 힘든 것은 가까운 사람들과의 이별이 참 견디기 힘들다. 아흔여덟의 어머니가 병환으로 힘들어하시다 나의 곁을 떠나고 삼개월이 지났다. 남편을 보낸지도 삼년이 다 되어간다. 가장 힘들고 어려웠던 시간을 함께 했던 남편과 어머니를 생각하면 가슴이 먹먹해진다. 사랑했던 사람들과의 이별은 세월이 흘러 나이가 들어도 가장 힘들고 아프다. 만남이 있으면 이별이 있는 것이 인생이라고 한다. 앞으로 조금씩 남편과 어머니의 빈자리를 받아들이고 나 '문경자'를 위해 최선을 다해 보려고 한다.

조유제

1. 삶의 흔적(1)

글쓰기 숙제 제목을 받고 보니 잊혀진 어린 시절 나를 되찾는 마음으로 이 글을 쓴다. 함께 놀던 친구가 생각난다. 지금은 고인된 친구 이영생, 강태호, 김종연과 아직은 내 곁에 있는 조덕길, 최순철, 박용근, 나두용이다. 친구들과 함께 놀이를 할 때는 기분이 아주 상쾌했다. 놀이가 끝나고 헤어질 때는 늘 아쉬움이 남았다. 우리가 즐겁게 했던 놀이는 비석치기, 줄넘기, 땅따먹기, 구슬치기, 발야구, 말타기, 달리기, 때기치기, 씨름 등이었다.

특히 때기치기에 대한 추억이 생각난다. 초등학교 시절 도로 한복판에서 친구들과 때기치기를 하고 있는 중에 갑자기 군용 지프가 달려와서 도로 밖으로 피했다가 책가방을 가지러 도로 안으로 들어갔다가 차에 튕겨서 개울에 떨어져 의식을 잃었던 적이 있다. 군인들이 나를 치켜들고 상태를 확인 후 떠났다. 그러나 이웃집 친구 덕길이는 2km 거리의 집까지 달려가서 숨을 헐떡이며 '아지매 아지매' 하고 되뇌이다 말을 못 하고 한참이 지난 후에 나의 사고 소식을 전했다.

외동아들인 내가 사고가 났으니, 소동이 일어났다. 학교에서는 나를 "지프장군"이라고 불렀다. 어릴 때 친구들과 소먹이러 산골짜기에 갔는데 소고삐를 소의 목에 감은 후 산에 올려놓고 친구들과 놀이 하느라고 바빴다. 씨름도 하고 조그만 개울물을 흙으로 막아 물을 가득 채우기도 했다. 한 번은 친구들과 열심히 놀고 있는데 어머니께서 밥 먹으러 오라고 불렀다. 친구들과 노는 것이 즐거워 한 번에 가지 않고 두 번, 세 번 재촉해서 가기도 했다. 땀을 뻘뻘 흘리며 집에 가면 어머니께서 목욕을 시켜주셨다. 목욕하는 중에 몸과 겨드랑이를 씻을 때 몹시 아파 도망을 가기도 했다.

2. 삶의 흔적(2)

어릴 적 5살 때 인민군이 마을에 들어와 따발총과 방망이 수류탄을 소지하고 넷째 할아버지 댁 사랑채에서 소를 잡아먹고 포를 만들어 이동했다.

백인과 흑인의 미군들이 마을 골짜기에서 수백 명이 일렬종대로 내려왔는데, 껌과 초콜릿을 아이들에게 던져 주었다. 아이들은 "할로 땡큐"를 소리치면서 반겼다.

어릴 때 만나는 친척들은 나의 머리를 쓰다듬으며 귀여워해 주시고 용기를 북돋아 주셨다. 지금 생각하면 내가 불쌍했기 때문인 것 같다.

어릴 적 일가친척이 모여 식사를 할 때면 큰집 할머니와 친가 할머니께서는 두 분 중 누가 나의 진짜 할머니인지 가리켜 보라며 놀리셨고, 나는 거침없이 큰집 할머니를 가리키며 진짜 할머니라 말했다. 그래서, 너의 원 할머니는 이쪽이라 해 놓으시고 두 할머니를 웃음보를 터트리기도 했다. 친가에 조부는 나를 조도령이라고 불렀고, 무척 귀여워해 주셨다. 큰 집 할머니는 증조할머니를 잘 돌보신다고 진양 군에서 수여하는 효부상을 수상하셨다. 나에게는 사촌 형제와 재종형제가 많아 외롭지 않게 지내며 자란 편이다. 함께 마음을 나누고 얼굴을 마주할 가족이 있어 참 고맙다.

3. 삶의 흔적(3)

2002년 2월 24일에 일어난 교통사고에 대해 말하고자 한다. 정성으로 나를 키우신 어머니는 2000년도에 서울에서 대학생 손자 뒷바라지를 하시다가 집으로 오신다는 연락을 받고 마산역에 마중을 나갔다. 어머니께서 말씀하시기를 "아무래도 내가 큰 병이 든 것 같다. 큰 병원으로 가서 진찰을 받았으면 한다."라고 말씀하셨고, 곧바로 삼성병원에서 진찰을 받았다. 진료 결과는 폐암으로 나왔고 바로 입원하고 항암치료를 받았다. 어머니는 다섯 번의 항암치료를 받았다. 치료를 받으며 머리카락이 빠지고, 몸무게가 주는 부작용에 힘들어하셨다. 약 2년의 병원 치료를 하시다가 세상을 떠나셨다.

나는 외동이라 어머니의 떠난 자리를 슬퍼하기도 전에 장례를 혼자 치르느라 분주했다. 문상 온 손님의 접대와 장례 절차에 응하다 보니 피로가 몹시 쌓였다. 아내는 병약해서 시골 산소에 장례를 치르러 가는 도중에 차에서 내려 구토를 하였다. 아내의 얼굴이 창백했다.

장례를 마치고 반성에서 마산으로 오는 길 진동면 사동리 다리 부근에서 졸음 운전으로 사고가 났다. 강변집 식당 시멘트 대문이 무너지고 자동차는 폐차 상태가 되었다. 만약에 차가 대문에 부딪히지 않았다면 다리 아래의 냇가에 차가 전복되어 큰 사고로 이어질 뻔했다.

곧 119 소방차가 경음을 내며 사고 현장으로 왔고, 우리 가족은 출동한 소방차에 실려 마산연세병원으로 이동했다. 우리 가족은 모두 병원에 입원을 했다. 아내는 머리에 부상을 입었고, 첫째 아들은 다리에 부상을 입었다. 셋째 아들은 머리와 다리에 부상을 입었고, 다행이 둘째 아들은 다친 곳이 없었다. 나는 저녁 무렵이 되어서야 허리가 불편하다는 것을 느꼈다. 한 병실에 가족이 모두 누워있는 모습을 보면서, 내 졸음 운전 실수라 생각하니 미안하고 마음이 아팠다. 나는 다리를 절며 이십여 분을 걸어서 집으로 와서 필요한 생필품을 챙겨서 병원으로 갔다. 가족들의 간호를 위해 최선을 다했고 두 달 후 가족은 모두 건강하게 퇴원했다.

세 아들은 모두 대학생이 되었고, 나는 고등학교 교장이라 차가 없이 행정직 직원이 출퇴근을 시켜주어서 교장으로서 나의 역할을 다할 수 있었다. 이십여 년의 세월이 흘러 나는 퇴직했다. 사랑하는 아내는 2015년 나의 곁을 떠났지만, 지금은 친구들과 운동도 하고 해외여행도 다니며 즐겁게 생활하고 있다.

첫째 아들은 서울대 교육학과 교수와 사범대 부학장을 맡고 있고, 둘째는 LG전자 에어컨회사 팀장으로 리더 역할을 하고 있다. 셋째 아들은 자동차 베터리를 만드는 삼성 SIG 헝가리지점 주재원으로 근무하고 있다. 지금 지나고 보니 너무나 큰 산을 넘은 것 같다.

동양의 철학자 맹자는 "하늘이 어떤 사람에게 큰 임무를 내리려 할 적에는 반드시 먼저 그의 마음과 뜻을 고통스럽게 하고, 그의 힘줄과 뼈를 피곤에 지치게 하고 그의 육신과 살갖을 굶주림에 시달리게 하고 그의 몸에 아무것도 남아있지 않게끔 한다."고 하였다.

나 조유제의 삶을 돌아보니 어렵고 힘든 시간에는 그만한 이유가 있었던 것이 아닐까 생각한다.

성창경

1. 나의 어린 시절

나는 1944년생으로 한국전쟁을 겪으면서 몹시 어렵고 가난한 시절을 살았다. 어렵고 힘든 시절을 견딜 수 있었던 것은 친구들과 놀았던 추억이 있어서였다. 나는 어린 시절 공놀이, 줄넘기, 딱지치기, 그네뛰기 등을 했고, 주로 야외에서 몸을 움직이며 하는 놀이를 좋아했다.

당시에는 모두가 가난해서 공을 살 돈이 없었다. 우리는 공놀이를 할 때는 볏짚을 동그랗게 뭉쳐 그 공으로 축구를 했다. 겨울에는 개울이나 논이 꽁꽁 얼면 썰매를 만들어 신나게 경주를 했던 생각이 난다. 해가 서쪽으로 지고 코가 빨개질 때까지 열심히 놀았던 시절이 있었다.

나는 어린 시절 할머니의 치맛자락을 잡고 자주 따라다녔다. 그래서 동네 어르신들이 나에게 지어준 별명은 '왕거머리'였다. 친구들도 별명이 있었는데 왕벌같이 운다고 '왕벌' 토끼처럼 빠르다고 '토끼', 거북이처럼 느리다고 '거북이'라는 별명을 가진 친구도 있었다. 나와 함께 뛰어놀았던 친구는 경오, 낙은, 낙필, 낙식, 형기, 낙선이가 있는데 그때 친구들의 별명이 뭐였는지는 기억이 가물거린다. 그러나 그때 친구들과 했던 놀이를 생각하면 지금도 입가에 미소가 지어진다.

2. 나의 청춘

　나는 가난한 농촌에서 2남 4녀 중 장남으로 태어났다. 초등학교를 졸업하고 형편이 어려워 집안의 농사일을 도우느라 중학교를 2년 늦게 들어갔고, 고등학교에 다닐 때는 외가댁이 있는 마산으로 이사를 했다. 고등학교를 졸업하고 군에 입대하여 군 복무 중에 아버지가 병환으로 돌아가셨다. 그때부터 가정에 큰 어려움이 시작되었는데 1968년도에 제대를 했고, 진해에 한국화학이라는 회사에 입사하여 마산에서 진해로 출퇴근을 했다. 퇴근 시간이 늦을 때는 버스를 타고 집으로 오는 길에 깜빡 잠이 들어 버스 종점까지 가서 먼 길을 걸어왔던 적도 있었다.

　그 당시 버스는 마산과 진해를 오가던 시외버스로 진해에서는 시내버스로 갈아타고 출퇴근했는데 어느 날 출근하는 복잡한 버스에서 상상하기도 싫은 어처구니없는 일이 벌어졌다.

내가 갑자기 소매치기로 몰린 것이었다. 버스 안에서 어떤 아주머니가 운전기사에게 소매치기를 당했다면서 난리를 치는 바람에 버스는 경찰서로 갔다. 경찰서에 도착하자마자 많은 승객 중에 나를 지목하며 "이 사람이 소매치기예요."라고 말했다. 어이없고 황당했다. 나는 경찰서로 들어가 소지품 검사와 신원조사를 하고 나서야 억울한 누명을 벗을 수 있었다. 신고한 아주머니는 나에게 몇 번이고 고개 숙여 사죄했다. 나는 아주머니에게 무슨 말을 하겠나 싶어 허허 웃으며 "제가 소매치기로 보였나 보지요."라고 하고, 다른 버스를 타고 회사에 도착했다. 동료 직원들에게 내가 소매치기가 될 뻔한 이야기를 하니 모두가 한바탕 웃었다.

3. 나의 인생

　나는 여러 가지 일에 도전하고 살아왔다. 다니던 직장이 적성에 맞지 않아 그만둘까 했는데 의류업을 하던 친구가 장사를 해 보라고 했다. 이참에 회사를 그만두기로 했다. 퇴사하고 장사 경험을 쌓겠다고 친구 가게에서 일을 도왔다. 그때 친구와 각 지역마다 열리는 장날을 찾아다니며 양말 보따리를 차에 싣고 인근 지역으로 다녔다. 오일장이 열리는 고성, 함안, 남지, 창녕, 북면, 진해 경화시장으로 돌아다녔다. 제법 장사가 잘되었다. 시장에 나온 사람들이 바쁘게 살아가는 모습을 보면서 열심히 양말을 팔았다. 기대 만큼의 큰 수입은 아니지만 돈도 벌고 경험을 쌓는 재미가 쏠쏠했다.

다음으로 도전한 일은 과일 장사이다. 청과물 도매 시장에서 중매인을 하는 '신용만'이라는 친구가 있었다. 그 친구가 좋은 물건을 경매 받아줄테니 과일 장사를 해보라고 했다. 또 한번 해보자는 생각으로 용기를 내었고 과일 장사를 시작했다. 처음에는 살고 있는 집이 도로변이라 집 앞에서 좌판을 놓고 과일을 진열해 팔았다. 그 친구가 손수레를 빌려 줄테니 손수레를 싣고 다니면서 해보라고 했다. 처음에는 아는 사람을 만날까 봐 쑥스러웠다. 그러나 하루하루 지나면서 자신이 생겨 골목을 누비면서 열심히 과일을 팔았다. 과일은 생물이라 당일 다 팔지 못하면 재고 처리로 손해를 보고 팔아야 하는 쉬운 장사는 아니었다.

과일 장사를 하던 어느 날이었다. 손수레에 수박을 가득 싣고 산호동 용마산 뒤쪽 솔밭이 있는 동네로 갔다. "싱싱한 수박이 왔습니다. 싱싱한 수박이 아주 쌉니다."라고 외쳤다. 중년으로 보이는 아주머니 한 분이 나를 보더니 "아저씨인지 총각

인지 이런 장사를 할 사람이 아닌 것 같은데, 내가 수박을 좀 팔아 줄게요."라고 하셨다.

잠시 후 아주머니는 동네 사람들을 모두 불러내어 우리 시동생이 수박을 팔려고 가져왔는데 한 덩어리씩 사주라고 해서 그 자리에서 손수레에 있는 수박을 모두 팔았다. 지금 생각해 보아도 그때 그 아주머니의 따뜻한 마음은 잊을 수 없다. 사람은 더불어 사는 존재이다. 힘들 때마다 그때 그 아주머니의 마음을 생각하며 열심히 살고 있다.

나의 어려운 사정을 잘 아는 이재태라는 친구가 있었다. 그 친구는 북마산시장에서 옷 가게를 운영했다. 그 당시 자신이 있는 시장을 2층으로 증축하는 공사를 하는데 한 번 해보겠냐고 했다. 아직 젊으니까 한 번 해보겠다고 했고, 공사장에서 모래를 질통에 지고 옮기는 일을 했다. 난생 처음하는 일이었다. 모래를 질통에 지고 자신 있게 2층으로 올라가 모래를 내렸다. 일의 요령이 없었던 나는 모래를 내릴 때 빳빳이 선 채로 모래를 내리려 하다가 모래와 같이 뒤로 벌러덩 넘어졌다. 함께 일하던 사람들이 "초자구나!" 하면서 깔깔거리며 웃었다.

공사장에서 일하던 사람들은 나에게 공사장 일은 힘이 아니라 요령을 써야 한다는 말을 하며 요령을 가르쳐 주었다. 허리를 앞으로 15도 정도 굽혀서 끈을 놓아야 넘어지지 않는다고 했다. 그렇게 얼마 동안 공사 일을 열심히 했고, 우연히 신문에 농협 직원 채용공고를 보았다. 그때 생각했다. 장사는 어렵고 공사 일은 힘들고, 세상에는 쉬운 일은 없다는 것을 알았다. 그동안 체험한 것들이 내가 살아가는 데 큰 도움이 될 것이라 생각하면서 마음을 다지고 도전해 보자 생각했다. 공사장 일을 그만 두었다.

새로운 직장에 도전해 보겠다는 마음으로 농협 직원 채용시험에 관한 책들을 구입해 열심히 공부했다. 취업 준비 중 가장 어려운 것이 주산 실기였다. 손에 유연성이 떨어져 주판 놓기가 쉽지 않았다. 연습하고 또 연습했다. 당당히 농협 채용 시험에 합격했다.

다시 시작하는 직장생활이라 그동안의 다양한 경험을 거울삼아 최선을 다해 참 열심히 일했다. 나는 직장에서 성실함을 인정받았고, 순조롭게 승진해서 2002년에 전무로 명예롭게 정년을 마쳤다. 정년 후 농협 경영을 전담하는 상임이사 모집공고가 있었고 자격요건이 맞았다. 지원서와 경영계획서를 제출하고 자격심사위원회를 거쳐 총회에서 선출되어 4년의 임기를 무사히 마쳤다.

    지금은 퇴임하고 마음이 맞는 다섯 명의 친구들과 행복한 노후를 보내고 있다. 우리는 각기 성씨가 달라 "오성회"라는 모임을 만들었다. 여름에는 캠핑을 하고 요즘에는 파크골프에 빠져 시간만 나면 다섯 친구들이 모여 그린에 나가고 있다. 가끔 먼 외지에 있는 좋다는 골프장을 찾아 전국 투어를 하고 있다. 소중한 친구들과 전국 방방곡곡을 다니며 좋다는 곳을 유람하며 살고 있는 지금의 나에게 가장 큰 행복이다.

정용식

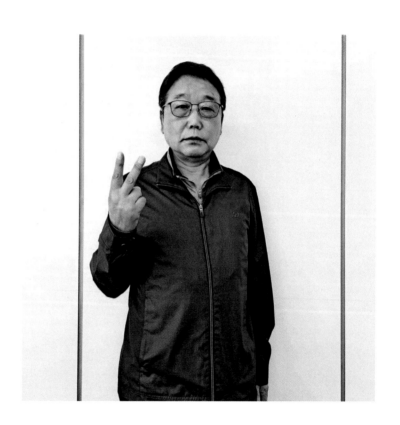

1. 나의 어린 시절

나는 어린 시절 좋은 추억이나 기쁜 추억, 행복했던 추억들은 별로 떠오르지 않는다. 힘들고 좋지 않은 기억들이 많이 남아있다. 1960년대 초등학교에 입학하기 위해서 현재의 구산면 심리에서 마산 댓거리 월영동 539번지로 옮겨 월포국민학교에 입학했다. 나는 1학년 3반이었고, 담임 선생님은 박정희 선생님이었다. 그때 기억으로도 선생님이 굉장히 미인이었던 것으로 기억한다.

내가 다닌 학교의 본관은 3층 벽돌 건물이었고 별채 아래 교실은 전부 검은색 양철로 된 단청 건물이었다. 그때 1학년에서 3학년은 오전반과 오후반으로 나누어 한 교실을 두 개의 반이 사용했다. 그 당시 한 반의 학생 수는 70명에서 80명 정도 되었으니, 교실은 콩나물 시루와 같이 비좁고 빼곡했다.

내가 1학년 입학을 했을 때 누나는 6학년이었다. 그 당시 등교할 때는 어찌나 손과 발이 시린지 발을 동동 구르고 학교 가서도 양지바른 곳을 찾아 햇볕을 쬐어가며 공부했었다. 그때도 초등학교 입학하면 한글과 산수를 미리 배워서 들어오는 아이들이 제법 있었다. 부잣집 아이들이나 특별하다 싶은 집안 아이들은 그랬다. 그런데 나는 그때 미리 공부를 하지 못하고 입학을 했다. 아버지께서는 본인이 못 배우신 것을 '낫 놓고 기역자도 모르는 사람'이라며 자신이 부족함을 직접 말씀을 하셨다. 누나는 별로 공부에 관심이 없었다. 그래서 나에게 공부를 미리 시켜줄 사람도 없었고, 나도 공부에는 관심이 없어서 성적이 좋지 않았다.

3학년 때 일이다. 그때를 생각하면 지금도 아찔하다. 나에게는 초등학교를 입학하지 않은 동생이 있었다. 그날은 부모님이 일하러 나가셨고, 나는 동생을 데리고 동네 아이들과 깡통차기를 했다. 당시에는 우리가 뛰어놀 수 있는 운동장이 없었고, 집 앞 비포장도로에서 놀아야 했다. 그날도 아이들과 비포장도로에서 깡통차기를 하고 놀고 있었는데, 그날 동생이 사고로 우리의 곁을 떠나게 되었다. 지금도 그 순간이 생생하게 남아 있다. 당시 동생은 동네 사람들로부터 사랑을 많이 받았다. 잘 생기고 똑똑한 아이라고 예뻐해 주셨다. 동생은 아버지를 닮아 미남이었고, 나는 엄마를 닮아 몸도 야위고 잘생긴 얼굴은 아니었다.

동생의 교통사고는 정말 안타깝고 눈물겨웠다. 동생의 교통사고로 힘들고 아픈 시간이 가기 전인 4학년 때 나에게 또 아픔이 있었다. 동생을 출산하다 어머니께서 아들을 낳고 돌아가시는 비극이 또 벌어졌다. 뒤늦게 알게 된 사실인데 어머니께서 결핵을 앓고 계셨다고 한다. 초등학교 4학년 때 상주가 되어 상복을 입고 하관 위에 흙을 뿌리던 그날이 지금도 잊히지 않는다.

태어난 동생은 할머니께서 우유와 암죽을 먹이며 키우셨는데 1년도 안되어 사망했다. 당시에는 출생신고를 늦게 하는 사람이 많았고, 동생도 출생신고를 안 하고 세상을 떠난 것으로 기억한다.

나는 어린 시절이 불행하고 힘든 날들이었다. 6학년 무렵 아버지께서 재혼을 하셨다. 새어머니께서 들어오게 되었다. 새어머니는 나에게 잘해주려고 마음을 많이 썼던 것으로 기억한다. 하지만 나는 새어머니의 그 마음을 알려고 하지 않았다. 활달하지 못한 성격에 늘 주눅 들어 있었고, 한 번도 '어머니'라는 말을 하지 않았다. 훗날 결혼을 하고 난 뒤 처음으로 '어무이'라고 불러 보았다.

2. 사랑하는 나의 아내

    사랑하는 아내 이봉선이 중학교 간다. 창원 경원중학교 부설 통신중학교로 입학한다. 40년 전 아내와 결혼하던 시절 결혼 공약을 이제야 실천하게 되었다. 아내는 어릴 때 아버지가 늦게 막내로 태어난 아들을 공부시키느라 딸은 중학교에 보내지 않았다고 한다.

    아내는 초등학교 시절 우등상까지 받으며 공부를 잘했다고 한다. 단지 딸이라는 이유로 학교를 가지 못했단. 이후 재건중학교를 다녔는데, 재건중학교는 중학교 학력이 인정되지 않았다. 그래서 마산수출자유지역이나 한일합섬 등 여공모집이 한창일 때 아내는 접수도 못했다. 아내는 학력과 상관없는 체신공무원 시험에 응시했다. 당당하게 합격했다. 굉장히 감격스러웠다. 거제 장승포

우체국으로 첫 발령을 받았다. 이력서에는 항상 초졸이 따라다녀서 동료들에게 부끄러웠다고 한다. 아내는 결혼을 하고 난 뒤에도 공부를 못한 것이 한이 되어 학교를 다니려고 했다.

우리가 생각한 것 보다 바쁘게 살다 보니 학교를 다니는 것이 쉽지 않았다. 통신중학교긴 하지만 아내의 소원대로 중학교에 입학을 하게 되었다. 입학식에서 교장선생님 말씀이 아내의 눈시울을 적시게 했다. 장내가 모두 숙연해졌다. 공부와 학교가 평생 한이 되었던 사람들이기 때문이다. 아내는 중학교를 졸업하고 고등학교도 갈 예정이다.

나는 당시 체력이 그다지 좋지 않아서 야윈 편이었다. 아내가 학교를 열심히 다리는 동안 나는 마라톤 연습을 많이 했다. 마라톤 동호인이 가장 많은 나라가 우리나라다. 각 지자체마다 마라톤 대회가 많이 열린다. 나는 여러 지역의 전국대회를 찾아다니며 대회도 참석하고 관광도 했다. 서울 잠실 마라톤 대회에서 제주도 마라톤 대회까지 다양하게 참가를 했다. 그때마다 아내가 나의 매니저 겸 동행자가 되어 주었다.

코스는 10킬로미터와 하프 두 종목이었다. 사실 풀 코스는 내 나이에 좀 무리였다. 그동안 완주한 대회의 메달만 하더라도 백여 개가 된다. 그때가 그립다. 지금은 무릎에 이상이 생겨 마라톤을 할 수 없다. 무릎만 괜찮아진다면 꼭 다시 뛰고 싶다.

아내는 배움에 대한 마라톤을 열심히 한 사람이라면, 난 배움의 코스를 열심히 뛰던 아내와 함께 전국의 마라톤 코스를 열심히 뛰었던 것 같다. 부부는 나이가 들면 마주 보는 시간보다 같은 곳을 바라보는 동지가 된다고 했다. 인생은 마라톤이라고 했다. 사랑하는 아내와 함께 걷는 인생의 마라톤도 멋지게 완주하고 싶다.

2021년 2월 7일 사랑하는 아내가 고등학교를 졸업했다. 아내는 고등학교까지 배움을 완주했다. 코로나로 거창한 졸업식은 진행하지 못했지만 3년 동안 열심히 공부한 아내가 대견했다. 나이가 들어 하는 공부는 젊은 사람들이 하는 노력의 몇 배가 든다. 아내는 금메달감이다.

3. 내 인생 마라톤

2022년 10월 30일 촉탁직까지 마치고 금하네이벌텍 주식회사를 퇴직했다. 돌아오는 길 후련하고 섭섭했다. 내 인생의 마지막 직장이다. 집에서 부르는 나이로 예순아홉이다. 이제는 은퇴. 아내부터 자식들까지 다 고생했다고 격려와 함께 이제부터는 몸건강에만 힘쓰라 한다.

동생 필식이의 딸 연지가 의령군청 공무원에 합격했고, 연우가 해운대경찰서 경찰공무원이 되었다. 동생 미연이 딸 주하가 창원시청공무원, 주영이가 고신대 병원 간호사 등 우리 아버지 손자들이 참 잘한다. 낫 놓고 기억 자도 모른다고 울며 푸념하던 우리 아버지는 손자들이 똑똑한 길을 가도록 길을 터 주신 것 같다.

2023년 10월 21일 주말 다섯 시부터 구산면 바닷가가 보이는 욱곡횟집에서 모임이 있다. 내 칠순 생일이다. 사랑하는 아내와 손녀 둘, 아들과 딸 며느리 사위까지 나의 칠순 생일을 준비하였고, 동생과 사촌 형제까지 모두 초대했다. 이제는 늙어간다는 것이 허무하고 서운하기까지 하지만 받아들이기로 했다. 내가 잘 살아온 건지 잘 모르겠다. 그런데 사랑하는 가족들을 보니 내가 걸어온 길이 험난한 가시밭길이었지만 오늘 그 목적지에 도달해 보니 잘 살아온 것 같다. 오랜만에 가족들이 모이니 참 행복했다.

넓은 8,000평 정원 위에 내 조그만한 집 한 채, 그 집 주변으로 소나무 숲이 울타리로 둘러싸여 있고, 호수 같은 바다가 보이고, 가운데 넓은 텃밭까지 멋진 그림 같은 저택이 좋긴 하나, 사랑하는 아내와 함께 할 가족들이 있어 더 행복한 것 같다.

김경금

1. 빨강 저고리

내 어릴 때의 추억은 한없이 순수하고 단순했었다.

다섯 살 쯤인가? 추석이 왔다.

어머니께서 손수 지으신 빨강 저고리를 입고

동네 나가서 자랑하고 싶었다.

그런데 어머니께서 빨강 저고리 안 주시고 다른 저고리를 입혀

주셨다.

나는 울고불고 빨강 저고리를 입을 거라고 때를 썼다.

"아이고" 하시면서 나의 고집불통에 빨강 저고리를 내어 주셨다.

나는 기분이 좋아 빨강 저고리 입고 동네 나가서 뽐내며 돌아다

녔다.

그런데 동네 아주머니가

"아이고 겨울 핫저고리 입었네." 하면서 웃었다.

그 말에 나는 부끄러워 집에 와서 저고리를 벗어 던지면서 엉엉 울었다.

어머니께서는 나를 포근히 안아주시며 달래 주었다.

2. 해방된 날

1945년 8월 15일

내 초등학교 1학년 때 해방되었다.

나는 어려서 해방이라는 큰 의미는 몰랐다.

그러나 "쿠슈 케이오~"하는 사이렌 소리와 함께 검은 커튼을 치고

전등에 검은 보자기를 두르고 발소리를 내지 않아야 했다.

사이렌 소리가 멈추기를 기다리는 무서움에서

해방되었다.

3. 국화

국화 축제에 다녀왔다
온갖 정성을 다해 멋지게 키워온
국화를 바라보며
"한 송이 국화꽃을 피우기 위해
봄부터 소쩍새는 그렇게 울었나 보다."
서정주의 시를 떠올려 본다.
국화는 우리 인생의 꽃
희로애락의 삶을 살아온 우리들의 삶
마지막 가는 길에
한 송이 국화 향기를 맡으며
떠날 인생이여!

2023년 11월 1일

4. 나의 인생

    나의 유년기는 매우 바쁜 날들이었다. 아버지께서 공무원이라 근무지가 자주 바뀌었다. 중학교 일 년은 울산여중에서 다녔고, 2학년은 양산중학교, 그리고 3학년은 부산 서여자중학교로 세 번의 전학을 했다. 친구들과 친해질 때쯤 다시 전학을 하니 바쁘고 외로운 날들이었다. 그러나 고등학생 때는 삼 년 내내 부산여자고등학교를 다녔고 거기서 졸업했다. 나는 고등학교 졸업할 때 고민이 가장 많았던 것 같다. 대학에 갈까, 취업할까 고민하느라 나의 머릿속은 복잡했다.

    부모님은 나에게 대학 등록금은 지원할 수 있으나, 그 외 비용은 아르바이트를 해서 해결해야 한다고 하셨다. 대학에 가면 옷도 멋지게 입고 싶었고, 친구들도 만나려면 용돈이 많이 필요한데, 아버지는 나에게 용돈을 넉넉히 주실 여유가 없었고, 평소에 엄격해서 내가 생각하는 청춘의 즐거움은 사치로 생각하시는 분이셨다. 나는 고민하다 간호사가 되기로 했다.

당시에 부산에 독일병원이 있었고, 부산의 간호학교에서 3년간 공부하고 졸업하면 독일 간호사가 되어 독일로 갈 수 있었다. 독일 간호사의 꿈을 안고 간호학교에 입학했다. 간호학교 생활은 생각보다 쉬운 일은 아니었다. 3개월 만에 학교를 그만 두었다.

학교를 그만두고, 취업해서 돈을 많이 벌고 싶었다. 청춘을 멋지게 즐기겠다 마음먹었다. 한국조폐공사에 취직을 했다. 회사 생활을 잘 적응해서 월급을 받으면 예쁜 옷도 사입고 돈도 모으면

서 지냈다. 입사하고 5년이 되어서 회사가 대전으로 이전을 했다. 나는 독신을 외쳤던 독신주의자였다. 다른 친구들은 결혼을 했다. 고민이 생겼다. 그 당시 여자는 결혼하면 직장을 그만두어야 했다. 어떻게 해야 하나 고민이 생겼다. 마침 나에게 결혼을 대시하는 남자가 있었다. 인물이 준수하고 부유한 집안의 남자였다. 결혼을 하기로 마음먹었다. 독신주의를 부르짖었던 나도 별 수 없이 현모양처로 살기로 했다.

결혼하고 나서야 알았다. 결혼은 평범한 생활이 아니었다. 시골 생활에 적응해서 살려니 너무나 힘들었다. 결혼하기 전 어머니는 시골 생활이 나에게 맞지 않다고 결혼을 반대했다. 그때 잘할 수 있다고 고집을 피워 결혼했기 때문에 꾹 참고 살아야 했다. 그때 그 시절은 이혼이라도 하면 큰 흉이 되는 시대였다. 나는 열심히 결혼 생활을 했다. 나는 아이들을 내가 책임지고 잘 교육시켜야 한다는 마음으로 참 열심히 살았다.

지금 돌아보니 나는 참 행복한 사람이다. 별걱정 없이 무난하게 사는 것이 행복이라 생각한다. 나는 아이들이 공부를 열심히 해서 원하는 대학에 합격했을 때 세상을 다 얻은 것처럼 참 행복했다. 행복이란 영원한 것이 아니라 생각한다. 지금, 이 순간에 자만하지 않고 내 감정을 잘 다스리며 살아야겠다.

정윤희

1. 엄마와의 이별

칠순이 넘어 자서전을 써 보려고 하니, 아스라한 어린 시절의 추억들과 포근했던 부모님의 모습이 생각난다. 아버지는 술을 전혀 드시지 않으셨고, 자상하고 인자하셨다. 딸 넷에 아들 하나였던 우리 5남매를 지극히 사랑해 주셨다.

우리 남매는 아버지와 함께한 추억들이 참 많았다. 가위로 내 발톱을 깎아주시기도 하셨고, 겨울이면 풀빵을 사 오셔서 우리 앞에 펼쳐 놓으시곤 하셨다. 장날에는 미더덕을 사 오셔서 손수 하나씩 까서 우리 입에 넣어 주셨다. 우리는 제비 새끼처럼 하나씩 받아먹는 재미에 참 행복했다.

우리 집에는 소가 네 마리가 있었다. 아버지는 매일 새벽마다 소죽을 끓이시느라 일찍 기상하셨다. 부지런한 아버지의 모습에 어머니는 늘 행복하셨고, 두 분은 부부싸움을 하신 적이 없으셨다. 가을에는 나락 가마니가 너무 많아 집이 비좁았다. 초가지붕 2칸짜리 오두막살이였지만 어린 시절 나는 우리 집이 부자라고 생각했다.

부모님은 내 나이 열두 살 때 초가집을 헐고 방 세 개가 딸린 기와집을 지으셨다. 파평윤씨였던 어머니는 알뜰살뜰 살림꾼이셨고, 새로 지은 기와집에서 아들도 낳으셨다. 엄마는 아버지 앞에서 당당하게 말씀하셨다. "나도 이제 사람 노릇 했지요. 아들이 둘인데 어서 일어나서 작은 방에 도배를 해야지!" 아버지는 웃지 않으셨고, 가만히 듣고만 계셨다.

막내 동생이 태어나고 5일째 되던 날이었다. 캄캄한 밤이었고, 어머니는 갑자기 소리치셨다. "사람 살려, 아이고 죽것네, 나 좀 살려주소" 어머니의 숨이 점점 빨라지셨다. 시골이라 차도 없었고, 전화도 없던 시절이었다. 아버지는 이웃집으로 달려가 도움을 청하셨고, 동네 아저씨가 자전거를 타고 읍내에 택시를 부르러 가셨다. 한참 후에 아버지는 어머니를 업고 언니는 갓난 동생을 안고 택시를 타고 마산 병원에 도착했다.

다음날 아버지는 싸늘히 식은 주검이 된 어머니를 업고 집으로 돌아오셨다. 가난뱅이 동생은 배고파 울기만 했다. 태어난 지 칠일이 된 막내는 이름도 없었다. 행복했던 우리 집에 검은 먹구름이 몰려왔다. 내 나이 열세 살 음력 1월 17일로 기억한다. 아무 생각 없이 그냥 울기만 했다.

2. 해방되던 날

엄마는 딸 셋에게 집안 형편이 좋지 않아 모두 대학까지 보낼 수는 없다고 하셨다. 그래서 제일 공부를 잘하는 한 명만 대학을 보낼 것이라 말씀하셨다. 그게 나였다.

초등학교 다닐 때 나는 성적이 우수했다. 대학에 갈 수 있다는 생각이 참 행복했었다. 그러나 엄마가 돌아가신 후 우리 가족은 모두 웃음을 잃었고 내 꿈은 산산조각이 났다.

막내 동생 천유이는 태어난 지 9개월 되던 가을에 엄마 곁으로 세상을 떠났다. 새엄마가 오셨고, 나는 열여덟 살에 공장에 취직을 했고, 스물셋에 중매로 남편과 결혼했다. 아버지께서는 결혼하는 나에게 말씀하셨다. "시집갈 때 황소를 몰고 가도 복이 없으면 못살고, 빈 광주리 옆에 끼고 가도 복이 있으면 잘산다." 시집

가는 딸에게 뭐라도 해주고 싶으셨던 아버지의 마음을 알 것 같았다. 아버지는 새엄마에게 우리 오남매가 구박을 받을까 봐 노심초사하셨다.

남편과는 맞선으로 얼굴은 한 번을 보았고, 한 달만에 결혼을 했다. 남편은 답답한 사람이었다. 나는 아버지께 걱정을 끼칠까 봐 열심히 살아보려고 노력했다. 결혼 생활 일 년 만에 딸이 태어났다. 남편은 여전히 가장이라기에는 생각 없는 행동을 했고, 그런 남편을 보는 나는 화가 끝까지 치솟았다. 나는 시어머니께 남편과 도저히 못 살겠다 소리치며 따졌다. 그때를 생각하면 나는 당돌하고 못된 며느리였다. 시어머니는 나에게 말씀하셨다. "남편이 부족하면 아내가 살림을 맡아 하고 아내가 부족하면 남편이 힘을 보태며 사는 것이다." 시어머니는 화도 안 내시고 조용조용히 말씀하셨다. 둘째 딸이 태어났고, 남편과는 6년을 더 함께 살았다.

시아버지는 놀음과 술로 허송세월을 보내시다 빚만 남기고 돌아가셨고, 남편은 그 이후 행방불명되었다. 남편은 빚쟁이들을 피해서 잠시 피신한 것이라 생각했다. 소문을 듣자 하니 다른 여자와 살림을 한다는 소식을 들었다. 그 당시 내 나이는 스물아홉 살이었다. 여섯 살과 세 살인 두 딸과 무조건 살아야 한다는 일념으로 기도했다. 당시 내 손에는 단돈 8만 원이 재산의 전부였다. 지독한 가난이 너무 힘들고 싫었다. 지독한 가난이 대물림되지 않게 해달라고 늘 기도했다. 힘들고 어려운 일은 내가 다 질 테니 우리 딸들에게만은 가난에서 벗어나게 해달라 기도하고 또 기도했다. 당시 나는 경제적인 것도 힘들었고, 배움도 짧아서 남들이 하지 않는 궂은일 험한 일을 해야만 했다. 삶이 가시밭길이었다. 힘들었지만 원망하지 않았다. 이것이 내 인생이라 생각하고 받아들였다.

세월이 지났고 50평에 방이 여섯 개 되는 집을 샀다. 두 딸들은 외할아버지를 꼭 닮아 두뇌가 명석하다. 큰딸은 한의사가 되어 서울 강남에서 한의원을 하고 있고, 둘째 딸은 고등학교 교사가 되었다. 손녀 두 명도 똑 소리 나고 잘 커가고 있다. 경매 나온 밭을 샀는데 그 땅이 주거지역이 되며 시가로 13억이 간다고 한다. 논을 또 샀다. 1등급이 되는 땅이란다. 그 땅에 농사를 지으니 먹을게 많아 좋다.

아버지는 하늘에 신선이 되셨을 것이다. 바람 타고 구름 타고 휠휠 날아다니실 거라 생각한다. 신선이 되면 500년 동안은 인간 세상에는 안 오신다는 말이 있다. 남편은 나와 이별 후 결혼은 네 번을 했고, 여자들은 모두 세상을 떠났다고 한다. 지금은 시골에서 20년째 혼자서 살고 있다. 벌써 팔순이 되었다.

우리 어머니는 서른다섯에 세상을 등지셨는데 나는 칠순이 넘도록 이렇게 건강하고 행복하게 잘 사니 내 복은 모두 부모님 덕분이다. 나는 저승에서 부모님을 만나면 꼭 못다 한 효도할 것이다. 나는 열심히 살아준 '정윤희'가 참 기특하다.

3. 보석같은 내 딸

너는 아기 때 유난히 통통하고 복스러웠다. 그때 엄마의 나이는 철없는 스물네 살이었지. 단칸방 달세방에서 복덩이 같은 너를 안고 젖을 먹이고 목욕시키며 참 행복했단다. 나는 그때를 잊을 수가 없다.

지금 생각해 보니 우리 딸들과 같이 살았던 육 년의 세월이 가장 행복했던 것 같다. 너는 어린 나이에도 영리하고 똑똑해서 매 순간 감동을 주고 기쁨을 주었단다. '쪼그마한 것이 어찌 이리 말도 잘하고 똑똑할까?' 늘 그런 생각들로 참 행복했단다.

할아버지의 노름으로 전 재산을 탕진했고, 그 이후 너희들과의 행복이 깨진 것 같아 못내 아쉬웠다. 노름에 한참 빠져있던 할아버지는 회사 다니는 아버지를 찾아와 노름할 돈을 받아 가곤 했었는데, 너희 아버지가 야근 근무를 가고 나면, 단칸방에서 할아버지와 함께 자야 했던 날도 있었는데, 그때 네가 추울까 봐 너를 꼭 안고 윗목에서 자야 했던 때도 있었다. 할아버지가 돌아가신 후 우리에게 남긴 건 엄청난 빚과 큰며느리에 대한 원망이었다. 놀음할 돈을 주지 않았던 엄마에게 했던 말이 아직도 기억이 생생하다. "큰 며느리가 차려주는 제사밥은 절대 먹지 않는다." 할아버지도 원망스러웠지만, 할아버지가 돌아가신 후 삶이 힘들다는 이유로 집을 나간 너희 아버지도 지금 돌아보니 참 원망스러웠다.

여섯 살과 세 살이었던 너희들을 안고 쌀도 돈도 없는 혈혈단신이 되어 세상을 어떻게 살아갈까 고민했었다. 엄마는 그때부터 참혹한 삶이 시작되었던 것 같다. 힘들었던 삶이 어린 너의 가슴에 씻을 수 없는 상처를 주었던 것 같다. 어린 너희들을 데리고 엄마는 직장을 다닐 수 없어서 시골에 계시던 할머니 댁에 내 목숨보다 소중한 너희 둘을 맡겨야 했다.

그때 엄마를 찾으며 우는 너희를 생각하면 지금도 눈물이 난다. 그때 할머니는 손녀 둘을 키우는 것이 너무 힘들다고 하셨고, 선이를 대구에 사는 작은 할머니 댁에 보내야 했다. 그때 우리 모녀는 뿔뿔이 흩어져 살아야 했다. 일곱 살이던 너는 "선이는 떠났다. 선이는 떠났다."라며 엄마의 옷을 잡고 한없이 울던 그때를 생각하면 지금도 눈물이 난다. 엄마는 그때 죽음을 생각했다. 너희 둘을 꼭 안고 하늘나라에 가고 싶었다.

사랑하는 내 딸 은화야 선아! 우리는 무슨 인연으로 만났을까. 지금 생각해 보니 그때 그 시간을 견뎠기에 지금 이 순간이 있는 것 같아 참 감사하다. 엄마 딸로 태어나 줘서 고맙고 사랑한다. 우리 오래오래 행복하자.

2023년 11월 15일 우리 딸 은화 생일날 엄마가.

성영희

1. 내 삶의 이정표(1)

나의 고향은 천왕봉 아래 유명한 샘물이 솟는 심산골 작은 시골 마을이다. 창녕 성씨와 청녕 하씨가 비슷하게 살고 있고, 강씨도 몇 집, 박씨와 김씨 한집이 살았고, 모두 친인척처럼 잘 지내는 정겨운 마을이었다.

지금도 육십, 칠십, 팔십 애의 언니, 오빠 친구, 동생들이 향우회 모임으로 친목을 다지며 일 년에 두 번씩 만나고 있다.

우리 집은 종갓집이라 항상 많은 사람들이 오가곤 했다. 나는 7남매에 여섯 번째 막내딸이었다. 할머니께서 화로에 내 손을 녹여주시며 많이 사랑해 주시던 생각이 난다. 가족 모두가 나를 특별히 위해주고 사랑해 주셨다.

나는 시골의 작은 학교인 광산초등학교를 다녔다. 우리 칠남매는 졸업식 때면 모두 최고의 상을 받았고, 머리 좋은 집안이라는 소리를 들었다. 나는 목소리가 좋아 주변 사람들에게 말이 예쁘다는 말을 들었다. 초등학교 5학년 때는 재학생 대표로 졸업식 송사를 했는데, 졸업생 언니 오빠들이 내 송사를 듣고 눈물을 흘렸던 기억이 난다. 나는 초등학교 6년 간 공부를 잘했다. 거의 일등을 했었고, 졸업식 때는 졸업생 대표로 답사를 했다.

부모님은 참 열심히 사신 분이다. 물려받은 유산이 없었고, 살림도 넉넉하지 않으셨지만 늘 나누는 삶을 사셨다. 일년에 열 세 번의 제사를 지내셨고, 집안에 찾아오시는 손님을 대접하셨고, 집안의 여러 사람들을 챙기며 베풀고 사셨다.

큰오빠는 공부를 참 잘했다. 당시의 명문고등학교였던 대구고등학교에 합격을 했었는데, 집안 형편이 넉넉지 않아 창녕농업고등학교 입학을 했다. 큰오빠는 시골 농고에서 서울대 농대에 당당히 합격했다. 큰오빠는 영어 열악했고 그래서 영어 공부를 열심히 했고, 대학원에서는 영어 강사가 되었다. 이후에 국비장학생으로 미국 유학을 갔고, 농경제학박사를 받고 한국으로 돌아왔다.

나는 집안이 어려워 공부하기가 쉽지 않았다. 초등학교 6학년 담임 선생님께서 배려해 주신 덕분에 20여길을 걸어서 창녕중학교를 다니게 되었다. 나는 공부를 정말 열심히 했다. 중학생 때는 천명이 되던 전교생 중에 일등도 했고, 늘 상위권에 머물러 있었고, 졸업식때는 두 번째로 큰 상을 받았다.

나는 공부를 더 하고 싶었지만 용기가 부족해 고등학교는 다니지 못했다. 이후에 나는 공부가 너무 하고 싶어서 대구로 가서 검정고시로 고등학교를 졸업했다. 나는 수학이 참 재미있었고 잘했다. 검정고시를 도전해 5개월 만에 대구교육청에서 주최하던 검정고시에 당당히 합격을 했다.

대학교에 대한 꿈도 있었으나, 내가 원했던 대학은 합격하지 않았고, 다른 대학교에서 입학 통지를 받았으나 용기가 없어 대학은 포기했다. 부모님 곁으로 돌아와 농사일도 돕고, 집안일을 하면서 결혼했다.

지금 생각해 보니 세상의 어려움도 몰랐던 것 같고, 큰 포부가 없이 그냥 열심히만 살았던 것 같다. 부모님께 효도를 한 줄 알았는데 되돌아보니 부모님 마음을 많이 아프게 한 것도 같다. 지금까지 잘 살아온 삶을 보니 부모님이 존경스럽고 감사하다. 항상 나를 보살펴 주신 모든 분께 감사드린다.

2. 내 삶의 이정표(2)

아버님께서 나에게 하시던 말씀이 있다. 수상, 관상, 사주 이런 것은 믿지 말라고 하시면서 이웃 동네에 사주를 보니 평생을 빌어먹을 팔자라는 얘기를 들은 그는 새벽에 일어나 밤낮으로 열심히 살아 자기대에 고을에서 최고의 부자로 잘살았다면서 제일 중요한 것은 심상이라고 하셨다.

어머니께서는 이웃이 모두 스승이라 하셨는데, 사람 셋이 가면 스승이 두 분이 다 하시면서 항상 배우고 살아야 한다고 하셨다.

시어머니께서는 부부 생활도 공부해야 한다고 하셨다. 나는 많은 스님의 법문을 들으며 삶의 이정표를 세웠다. 법문을 듣는 순간 마음 수행이 많이 되었다. 평생 많이 들었던 법문의 글이다.

"모든 실수는 몰라서 한다." -종범 스님

"아는 만큼 전하고 베풀 수 있는 만큼 베풀고 살자." -월효 스님

"내 남편을 바꾸려 하지 말고, 내가 좋은 사람이 되면 내게 좋은 사람이 온다. 행복은 문을 열고 들어오는 것이 아니라 내 안에서 꽃처럼 피어나는 것이다." -법정 스님

나는 시장에서 방앗간을 하고 있다. 자랄 때 할머니의 사랑을 많이 받았고, 동네 어르신들의 사랑도 많이 받아서 장사도 잘하게 되었다. 방앗간에 오시는 분들의 다양한 이야기를 들었고, 내가 힘들 때는 하소연도 해가면서 즐겁고 보람 있는 시간을 보냈다.

초등학교 다닐 때는 윤동주 시인의 '서시'를 써서 벽에다 걸어놓고 외우는 것을 좋아했고, 그림을 그리는 것도 좋아했다. 나는 할머니와 부모 형제들과 함께 행복하게 잘 살았다.

"서시" _윤동주

죽는 날까지 하늘을 우러러
한 점 부끄럼이 없기를

잎새에 이는 바람에도

나는 괴로워했다.

별을 노래하는 마음으로

모든 죽어가는 것을 사랑해야지

그리고 나한테 주어진 길을

걸어가야겠다.

오늘 밤에도 별이 바람에 스치운다.

국화 옆에서 _서정주

한 송이 국화꽃을 피우기 위해

봄부터 소쩍새는 그렇게 울었나 보다.

한 송이 국화꽃을 피우기 위해

천둥은 먹구름 속에서

또 그렇게 울었나보다.

그립고 아쉬움에 가슴 조이던

머나먼 젊음의 뒤안길에서

인제는 돌아와 거울 앞에선

내 누님같이 생긴 꽃이여

노오란 내 꽃잎이 피려고
간밤에 무서리가 저리 내리고
내게는 잠도 오지 않았나보다.

모든 실수는 몰라서 한다는 말이 있다. 사람은 아는 만큼 전하고 베풀 수 있는 만큼 베풀고 살아야 한다는 법문을 많이 들었다. 듣는 순간은 마음 수행이 많이 되었다. 남편을 바꾸려 하지 말고, 내가 바뀌어야 한다는 말씀을 들으며 내가 좋은 사람이 되자 생각했다.

3. 나는 행복한 사람

나는 결혼을 했다. 나의 보물 딸과 아들 둘을 두었다. 너희들이 있어서 참 행복하고, 너희들이 있기에 나의 삶이 있고, 너희들이 있기에 내가 힘들어도 즐겁게 웃을 수 있다.

나는 시골에서 신혼생활을 시작했다. 면 소재지가 있는 마을에서 조그마한 집을 구했다. 남편은 공무원이었다. 나는 아이들을 보살피고 살림했다. 가끔 부업을 하며 살림에 보탬이 되기도 했다. 아이들은 모두 공부를 잘했고 건강하게 잘 자라 주었다. 남편은 술과 음악을 참 좋아했다. 젊은 시절에는 자주 술집에서 시간을 보내기도 했다. 당시 남편은 집안일에는 좀처럼 관심이 없었다. 그러나 지금은 술도 끊었고, 열심히 집안일을 도우며 잘살고 있다.

아이들은 모두 서울로 상경해 공부했다. 공부에 열정이 있었던 아이들은 상위권 실력으로 대학과 대학원을 졸업했다. 큰아들은 자기 힘으로 박사학위를 받았고, 치과 병원장이 되었다. 작은아들은 미국 MIT 대학에서 연수했고, 지금은 대덕연구단지에서 연구원으로 근무하고 있다. 딸은 건축과를 졸업해 서울 SH공사에서 능력 있는 건축사로 인정받았다.

세 아이가 모두 잘 자라준 것이 고맙고 행복하다. 나는 아이들이 공부를 할 때 부모로서 모든 것을 해주고 싶었다. 하숙을 하던 아이들을 위해 2층 전셋집을 얻어 아이들 뒷바라지를 했고, 다음에는 아파트로 옮겨 아이들의 뒷바라지를 했다. 당시 나는 참 행복했다. 아이들도 그때 서울에서 함께 했던 시간이 참 행복했다고 한다. 가족은 함께 한 추억이 있어 더 행복한 것 같다.

나는 배드민턴 동아리에서

아침 운동을 했다. 동대문 운동장 옆에서 제일 좋은 배드민턴 채를 아이들이 사 주었다. 아이들과 같이 다녔던 그 시간이 너무 행복한 시간이었다. 자취하던 아이들에게 나는 열심히 반찬을 만들어 보냈다. 딸은 나에게 늘 부탁했다. 냉장고가 작으니 너무 많이 보내지 말라고 말이다.

딸이 결혼했다. 서울에 있는 고급 호텔에서 결혼식을 성대하게 올렸다. 주례사는 아침마당에 나오는 송수식 박사님이 해주셨다. 서울에 사는 가족은 오빠, 언니, 사촌 언니와 동생이 왔고, 서울에 사는 동창생들과 친인척들과 많이 참석해 축하해주셨다. 마산에서는 시가와 외가에서 많은 분들이 와 주셔서 축하를 해주셨다. 너무 행복한 결혼식이었다.

딸은 딸과 아들을 낳아 잘살고 있고, 큰아들은 예쁜 딸 둘을 낳아 잘 키우고 있다. 작은아들은 늠름한 아들을 둘 낳아 잘 키우고 있다. 나는 참 행복한 할머니이다.

시어머니는 참 훌륭한 분이셨다. 막내인 남편이 별나다며 가게 일도 하고, 아이들 뒷바라지까지 도움을 주셨다. 시어머니는 너무 바빠 우리 영실이 엄마는 아플 시간도 없다고 말씀하셨다.

몸은 힘들었으나 가족 모두가 건강하고 서로 사랑해주니 나는 행복한 사람이다. 이젠 용기를 내어 현명하고 지혜롭게 남은 삶을 후회없이 살 것이다. 아는 만큼 전하고 나눌 수 있는 만큼 나누면서 살 것이다. 나를 도와주시고 배려해 주신 많은 사람들에게 감사하다.

조윤래

1. 나의 어린 시절

　나의 제일 어렸을 때 기억은 4살 때 외할머니가 돌아가시는 날 밤이었다. 많은 사람들이 모여서 소리 내어 울고, 특히 엄마가 울고 하는데, 너무 무서워 둘째 언니 등에 업혀서 언니의 등을 때리면서 집에 가자고 울었던 기억이 난다.

　1950년 육이오 사변 때의 기억은 잊을 수가 없다. 큰언니, 작은오빠, 둘째 언니, 셋째 언니, 나 이렇게 5명을 아버지께서 큰집으로 먼저 피난을 보내셨다. 부모님은 큰오빠가 오면 같이 오신다고 했다. 언니도 오빠도 한 번도 걸어서 가 본 일이 없는 먼 길을 고개를 넘고 신작로 자갈길을 언니와 오빠가 번갈아 나를 업고 갔는데 얼마나 힘들었을까?

내가 떼쓸 때마다 국화빵과 박하사탕을 주었는데 언니들은 아 낀다고 먹지도 않은 빵을 팥만 빼 먹고는 던져 버리곤 했다. 큰집 은 큰오빠가 돌아가시고 언니들은 시집가고 큰아버님 내외분만 계셨다. 넓은 집에 온갖 과일나무들과 꽃나무와 꽃들 채소들 돌담 위의 노랑 괘불 주머니 꽃도 예뻤다. 앞 개천에서 목욕하고 대청 마루에 누우면 뒷 대밭에서 불어오는 시원한 바람 댓잎 비비는 소리 정말 조용하고 아름다운 집이지만 우리 집에 가고 싶었다.

이삼일쯤 지나서 작은오빠가 큰아버님께 집에 가겠다고 했지 만, 안된다고 하자, 오빠는 새벽에 혼자 집으로 가버렸다. 외할아 버지의 꾸지람을 듣고, 그날 밤에 아버지가 박하사탕을 한 도시락 가지고 오셨다. 우리는 다시 집으로 왔다. 얼마나 좋았던지 뛰고 또 뛰었다.

집에 오니, 외할아버지의 소작인이 있는 굴천 동네로 엄마와 외숙모들은 피난을 떠나고 없었다. 흑인이 오면 여자들을 겁탈한다는 소문 때문에 큰오빠는 집으로 오지 못하고 다른 길로 갔다는 소식을 듣고 아버지는 울면서 주먹밥을 들고 큰오빠를 찾아 길을 떠나셨다. 그때 우리 엄마는 어떤 마음이었을까? 그렇게 사랑하던 외할머니를 잃은 지 얼마 안 되어 그 슬픔이 채 가시기도 전에 난리가 나고, 난리 통에 장성한 큰아들과 남편을 떠나보낸 마흔두 살의 젊은 엄마였다. 아무것도 모르는 철부지였던 나는 전쟁도 무섭지 않고, 엄마가 있고 언니들과 동갑내기 외사촌이 한집에서 살고 있어서 재미있게 지냈다.

밤마다 치안대와 인민군은 피난 보따리를 뒤지고, 엄마에게 총부리를 겨누면서 너 아버지 돈은 어디 다가 숨겼느냐? 이런 악질은 처음 본다며, 너의 식구 여섯을 한 구덩이에 묻어 버릴 수 있게 구덩이를 파라 등, 온갖 고초를 다 겪었다고 한다. 나는 인민군 두 명을 똑똑히 기억한다. 개를 팔라고 왔던 어린 인민군, 기관총으로 개를 쏘아 죽이던 늙고 못생긴 인민군, 새끼 낳을 때가 되어 배가 불룩하던 개를 죽여 담벼락에 매달아 놓은 걸 보고 언니와 나는 불쌍하다고 울었다.

둘째 외숙모가 아기를 낳았다. 세 번째 딸을 낳은 외숙모는 한없이 울었다. 둘째 외숙부님은 가끔 반성 사람들이 피난해 있는 강변으로 가서 고기도 사 오고 소식도 듣고 오신다. 동네 사람들은 모두 강변에서 피난했다. 우리도 마을 사람들과 같이 지내고 싶었지만, 혹시 인민군이 동네 사람들이 있는 곳으로 숨어들어 다른 사람에게 피해를 줄까 봐 따로 피난을 갔다.

굴천에서 더 견디지 못하고 십 리쯤 떨어진 남산으로 가는 날. 큰언니와 어른들은 새벽에 떠나고 작은 언니와 아기를 안은 둘째 외숙모와 사촌과 같이 언니 손을 잡고 가는 중에 대포 소리와 폭격 소리가 너무 무서워 홀짝홀짝 뛰면서 울고 빈집에 숨자고 했다. 그때의 무서움으로 많은 사람들이 모여서 소리 지르고 데모를 하는 걸 보면 가슴이 콩닥거리고 떨린다. 거기서도 엄마는 치안대와 인민군에게 시달렸다. 다시 원통마을로 피했다. 모기에게 물린 다리는 온통 부스럼투성이고 먹을 것도 제대로 못 먹었지만, 언니와 사촌과 같이 정자나무에도 올라가고 시냇물에서 목욕도 하고 재미있게 지냈다.

피난살이가 끝나고 불타버리고 아무것도 없는 집으로 돌아왔다. 우리 집터에는 오그라붙은 유리그릇 덩어리와 천이 탄 검은

종이 같은 재들이 널브러져 있었다. 우리 집 우물도 폭격을 맞아 반쪽이 옆으로 넘어져 있고 그 깊은 샘물이 넘쳤다. 신기해서 우물에 발을 담가 신발을 탈탈 털었다. 동네는 다 타버렸지만, 외가 사랑채만 남아있었다. 동네가 불타던 날, 둘째 외숙부님이 동네 사람들과 같이 불을 껐다고 했다. 사랑채는 방이 4개고 널따란 대청마루가 있어 우선 다 같이 지낼 수 있었다. 소식이 없어 걱정했던 아버지와 큰오빠가 돌아왔다. 표현은 못했지만 정말 기뻤다. 전쟁 통에 집도 옷도 살림살이도 불타고 없지만, 다행히 외가 친가 모든 가족이 무사해서 정말 다행이었다.

피난에서 돌아와 우리 집을 지을 때까지 외가 사랑채 뒤뜰 정원에서 온갖 화초와 꽃나무, 호두나무 석류나무 잣나무 감나무 회나무 밑에서 숨바꼭질도 하고 널뛰기 그네뛰기와 대목이 집 지을 준비를 하는 나무토막으로 외사촌들과 대청마루에서 소꿉놀이도 하고 정말 즐겁게 지냈다.

2. 나의 청춘

1968년 3월에 미감아들이 다니는 분교장에 강사로 가게 되었다. 집에서 십 리가 조금 안 되는 곳에 있는 분교장에는 아주 똑똑하고 예쁜 아이 16명이 있었다. 분교장이신 선생님과 전달부나 보조강사, 직원 6명, 아이들 16명, 6학년 6명은 분교장이 가르치고, 나는 4학년과 2학년을 가르쳤다. 너무도 사랑스럽고 예뻤다. 2년 동안 아이들과 지내면서 교직에 매력을 느껴 준교사 시험에 응시하였다. 20대1의 경쟁을 뚫고 합격하였다. 교사가 부족한 시기라 성적 순위로 50명은 진주교대에서 강습을 받고 성적이 좋은 50명은 1주일간의 연수와 1주일간의 교생실습을 마치고 발령을 내주었다. 그때 강습을 먼저 받아야 했는데, 경험은 많이 했지만 손해를 좀 봤다.

1972년 3월 2일에 합천군 덕곡면 학남 국민학교에 발령이 났다. 벽지학교였다. 68년부터 아이들과 생활하였고 교육에 대한 연수도 많이 받아 설렘도 어색함도 없이 아이들을 잘 다루고 직원들과 학부모와도 잘 어울리는 베테랑이 되었다. 첫 봉급을 타서 엄마에게 금비녀를 해 드렸다. 불심이 깊은 엄마는 어령 정곡면에 있는 탑바위 절에 종을 만드는데 기증했다. 4월에 중앙교육 행정 연수원에서 일주일간 연수를 받았다. 연수원은 삼청동에 있었다. 연수를 받는 동안 청와대 초청을 받아 육영수 여사와 면담도 했다. 그 품위와 기품에 반했다. 인천 판유리. 정보학교 등을 견학하고 왔다. 3명의 여교사들은 자매들처럼 지냈다. 자취하면서 같이 자고 같이 밥 먹는 시간이 많았다. 서희모 선생님 반주에 맞추어 서영희 선생님은 음색이 고와 정말 노래를 잘했다. 연수를 갔을 때. 전석환과 밤에 건전 가요를 기타 반주에 맞추어 재미있게 부르던 노래를 서 선생님의 반주에 맞추어 큰 소리로 노래하면, 전 달부는 학교 지붕이 들썩인다. 하고 중등의 음악 교사였던 교장 선생님은 술에 취하면 자기가 직접 반주를 하고 여선생님들에게 큰소리로 노래하게 했다.

각지에서 모인 선생님들과 자전거 타고 경북까지 달리고, 가정 실습 때에는 등산 가고, 멀리 여행 다니고 이웃 학교 선생님들과 어울려 직원체육 하면서 먹거리도 장만하여 고기도 구워 먹고 낚

시질도 다니고, 같이 연수도 받으면서 행복하고 즐거운 날을 보냈다.

벽지학교라 급식 빵이 나왔다. 처음에는 건빵을 주었다. 보관할 창고가 없어 일주일 분을 한꺼번에 나누어주기도 했다. 그러다 식빵이 나왔다. 학교에 오면 빵도 주고 재미도 있으니까, 아이들은 학교에 오고 싶어 했다.

3월이 되면 학교에 입학시켜 달라고 학부모들이 교무실에 줄을 섰다. 지역주민이나 학부모들에게 선생님들은 칭찬을 받으면서 지냈다. 특별한 것이 있으면 집으로 초대도 자주 해주었다. 1학년 담임을 맡고 얼마 되지 않아서 골마루에 있는 신발장이 넘어져 신발이 다 섞여 버렸다. 2명을 제외하고는 모두 검정 고무신이었다. 120짝이 넘는 똑같은 검정 고무신이 한데 섞여서 도저히 찾아 줄 수가 없었다. 나는 어쩔 줄을 몰라 하고 있다가 , '네 신발을 네가 찾아 신어라.' 했더니, 좀 똑똑한 아이들은 발에 맞는 새 신을 빨리 찾아 신고, 또 어떤 아이는 같은 짝도 아닌 것을 자기 신발이라고 우기고, 어떤 게 자기 신발인지 못 찾겠다고 울고, 정말 혼났다. 그때는 참 난감했는데 지금 생각하니 참 우습다.

육상 기록대회가 있던 날은 우리 학교가 성적이 좋아 늦게 마쳤다. 5, 6학년 아이들 15명과 교사 4명이 교통이 다 끊어져 산을 넘어서 걸어서 올 수밖에 없었다. 캄캄한 밤길을 낭떠러지 길은 아이들을 가운데 세우고 모두 인간 띠를 만들어서 걸었다. 밤 늦게 도착하여 집까지 데려다주었다. 삼 년을 학남 초등학교에서 즐겁게 보내고. 결혼도 하고 아이도 낳아서 밀양으로 갔다.

1984년 3월 1일에 경남혜림학교에 가게 되었다. 교장 선생님의 배려로 농아 2학년을 맡았다. 우리 반 아이들은 예쁘고 똑똑했다. 우리가 전치사를 구분 잘 못하듯이 농아들에게는 조사가 어려웠다. 구구단을 외우고, 소리를 지르기도 했다, 장애인의 날 운동회를 하는데 기숙사에 있는 아이를 찾아 멀리서 부모님이 오는데,

한 아이는 아무리 기다려도 오후까지 엄마가 오지 않자 내 품에 안겨서 울었다. 그 예쁜 아이는 어디서 어떻게 지내고 있을까? 열여섯 살이나 된 아이가 늦게 우리 반에 들어와서 오후에도 국어책을 가지고 와서 묻고 또 물어가며 열심히 하여 책을 읽었다. 아이들은 새로 지은 천광학교로 이사했다. 나는 혜림학교에 그냥 남았다. 정서장애와 발달 장애 뇌성마비, 다운증후군 등 다양한 아이들은 천차만별이다. 각양각색의 꽃들이 아름답게 핀 꽃밭 같았다. 이 아름다운 꽃들은 어떻게 지낼까? 혜림학교에서 방송통신대학을 졸업하여 학사학위를 받았다.

2007년 8월 31일 교장으로 명예 퇴임하였다. 지금부터 나 조윤래의 삶을 제대로 살아볼 시간이다. 멋지게 도전하자. 청춘의 조윤래처럼.

3. 나의 가족

부모님 말씀대로 맞선도 보고 데이트도 했지만, 마음이 가지 않았다. 3월이 되어서 몹시 바쁜데, 집에 오라는 전보가 왔다. 무슨 일이 생겼나 하고 걱정하면서 집에 갔더니, 맞선을 보기로 약속했으니 약속 장소에 나가 보라고 했다.

봄방학 때 집안 언니가 총각이 있다는 이야기를 얼핏 들었다. 아버지는 결혼은 철저한 집안과 집안의 연결로 6남매를 그렇게 결혼시켰다.

멀리서 오는 총각인데 약속했으니, 형부와 같이 마산 청자다방으로 갔다가 아무것도 물어보지 않고, 중학교에 다니는 둘째 조카 연찬을 데리고 '파계' 영화를 보고 합천으로 갔다. 일주일쯤 후에 멀리 경북 울진에서 편지가 왔다. 울진인지 울산인지도 잘 몰랐지만 필체가 너무 맘에 들었다. 악필인 나는 필체가 좋은 사람을 부러워했다. 글씨에 반해 답장을 보냈다. 몇 번 편지가 오고 가고 하는 사이에 큰오빠가 울진까지 한번 가볼래? 하고 물어서 총각한테서 온 편지를 모두 보여주고 가기는 어렵다고 했다. 싫어하지는 않은가 보다 하고 아버지와 오빠가 의논하여 결혼식 날을 받았다는 편지를 보내셨다.

맞선본 2달 만에 결혼이라니 어이가 없었다. 큰오빠가 장가가는 날 왜 울었는지 이해가 되었다. 총각은 누나가 한 분 형님이 세 분 시집간 여동생이 이었다. 아버지는 돌아가셨다고 한다.

부모님은 객지에 내보낸 막내딸이 걱정되어 빨리 시집보내버리고 싶어 했다. 부모로서 할 일이라고 생각하셨다. 나는 가르치는 일에 매력을 느끼고 이왕 교직에 들어왔으니, 끝까지 하고 싶었다. 같은 교사끼리 만나 벽지학교에서 같이 근무하면서 퇴근 후에는 넓은 운동장에서 유모차를 곁에 두고 테니스도 하고 내 아이들도 키우며 살아보겠다는 야무진 꿈을 꾸기도 하면서, 화창하고 아름다운 5월 20일에 여러 사람의 축복을 받으면서 결혼식을 했다.

3월 17일 마취도 안 하고 제왕절개 수술을 하여 3.8kg의 우리 공주가 태어났다. 장 중첩까지 죽을 고비를 넘기고 한 번도 일어서지도 못하고 14일 만에 퇴원하여 엄마 집으로 갔다. 아버지께서 뜻이 밝은 사람이 되라고 '명지'라는 예쁜 이름을 지어주셨다. 우리 딸 명지는 순하고 순했다. 주인집 할머니가 명지를 키워주기로 했다. 온 식구가 명지를 이뻐하고 사랑해 주었다.

밀양으로 발령받아 남편과 시어머니를 모시고 살게 되었다. 시누이가 자주 왔다. 나와 동갑인 시누이는 참 아름답고 고운 맘씨를 가진 훌륭한 동생이었다. 내가 무슨 복이 많아서 이렇게 좋은 시누이 만났을까? 하는 생각이 들었다. 나는 둘째 아이를 가지고, 딸 셋을 둔 시누이는 넷째 아이를 가졌다. 시누이가 아들을 낳기를 정말로 바랐다.

유난히 부른 배를 안고 날마다 만원 버스를 타고 통근을 하면서 학교생활과 가정 살림을 부지런하고 열심히 했다. 자주 산부인과 병원을 가서 검진을 받았다. 아기가 너무 커서 복띠를 해야 한다고 했다. 그 무더운 여름에 복띠를 하고 밥하고 빨래하기가 너무 힘들었다.

새집을 지어 이사를 했다. 마당에 화단을 만들고 장미, 사철나무도 심고 여러 가지 꽃도 키웠다. 석류나무에 석류가 많이 달리고 국화꽃 향기가 온 집안 가득한 가을이 되었다.

1976년 10월 12일에 종례 시간에 교장 선생님은 사택의 단감을 따서는 직원들에게 나누어 주면서 나에게는 특별히 많이 주셨다. 몸이 좀 이상해서 집에 와서 어머님께 여러 가지 부탁을 하고 다니던 산부인과 병원으로 갔다. 원장 선생님이 부재중인데, 오고 있다고 했다. 진통은 시작되었는데 10시가 되어도 오지 않고 11시쯤에 못 온다는 연락이 받고 맞은 편 당번병원으로 간호사와 같이 갔다. 링거와 촉진제를 꽂았다. 진통이 잦아졌다. 이를 악물고 참았다. 그때까지 남편이 오지 않아서 몹시 걱정되었다.

기원에서 바둑을 두다 12시가 넘어서 왔는데, 술 안 먹은 남편이 얼마나 고마웠는지! 아침이 되어서 의사는 부산이나 마산으로 가서 수술을 해야겠다고 했다. 그렇게 수술을 반대하던 어머님께서 울먹이시며 마산으로 가서 수술을 하라고 말씀하셨다. 힘들어하는 내 모습을 보고 눈물 지우시는 어머님이 정말 고마웠다.

다시 산부인과 가서 유도 분만을 하여 1976년 10월 13일 오후 1시에 4kg이나 되는 머리카락이 새카만 잘생긴 아들을 낳았다. 더 이상 바랄 게 없이 행복했다. 어머님은 너무 좋아서 춤추시느라 저녁때가 되어서 국을 끓여 오셨다. 아이를 낳고 바로 걸을 수 있다는 게 너무 좋았다.

외할아버지가 창회라는 멋진 이름을 지어 주셨다. 명지는 동생을 너무너무 사랑하고 예뻐했다. 작고 예쁜 새집에서 비둘기 가족처럼 행복하게 지냈다. 시누이도 나보다 몇 달 먼저 아들을 낳았다.

가끔 엄마가 오셔서 아이들도 돌보아 주시고 사돈끼리 사이좋게 지내시는 게 참 좋았다. 가시는 날은 출근할 때 차비를 조금 드리면 화장대 위에 두고 가셨다. 돈 잘 버는 아들이 둘이나 있는데 아이들 두고 돈 벌러 가는 너 돈은 받고 싶지 않다고 했다. 나는 두고 가신 돈을 보고 눈물이 나기도 했다. 방학 때 엄마 집에 갔을 때 이웃에 사는 숙이가 아이를 좋아해서 날마다 업어주다가 밀양에 따라가겠다고 해서 숙이를 야간 중학교에 보내기로 하고 데리고 왔다. 아이를 좋아하는 숙이는 정말 창회를 잘 돌봤다. 어머님은 객지에서 명지, 창회의 재롱을 보시면서 늘 행복해하셨다.

우리 집에는 친척들이 자주 왔다. 시가의 형제들 조카들이 자주 와서 도와주었다. 우리는 일요일마다 오전에 목욕탕에 갔다가 외식하고 영남루에서 놀다 오는 걸 어머님은 참 좋아하셨다. 더 할 수 없이 행복한 날들이었다.

이춘엽

1. 나의 도전

1948년 시골 마을에서 8남매 중 둘째 딸로 태어났다. 이 시대에 딸은 대우를 받지 못하는 시대였기에 배움의 기회도 모두 아들에게만 주어졌다. 중학교에 들어가기 위해 단식투쟁도 해 보았지만, 소용이 없었다. 겨우 초등학교를 졸업하고 밑으로 동생 6명을 돌보면서 틈틈이 방앗간 집안일을 하면서 10대를 보냈다. 배움의 길을 갈 수 있도록 기회가 주어졌다면 나의 인생은 지금과는 다른 모습이지 않을까? 이때 난 결심했다. 나의 자식들은 딸, 아들 구분 없이 배움의 기회를 줄 것이고, 원하는 바를 할 수 있도록 최선을 다할 것이다.

시골 섬마을의 생활에서 벗어나 도시에서의 새로운 출발을 위해 부산에서 20대를 시작했다. 객지 생활이 순탄하지는 않지만 한복학원에서 뜨개질을 배우고 기술을 익히고, 직장생활도 하면서 하루하루 열심히 살았다. 마산으로 직장을 옮겨 간장회사에서 사무 일을 했다. 바쁜 직장생활 속에서도 나의 인연을 만나 2년 6개월간의 열애를 하고 멋진 경상도 사나이와 결혼했다. 1남 2녀의 자식을 낳고 요식업을 하면서 평범한 일상 속의 행복을 느끼며 결혼생활을 했지만, 마음 한구석에 남아있는 공부에 대한 열망은 나이가 들면서 더욱 간절해졌다. 아이들은 어느새 대학을 졸업하고 직장생활을 하면서 안정된 자리를 찾아갔고, 이런 와중에 뜻밖에 대학원 진학을 고민하고 있는 딸에게 더 늦기 전에 공부를 하고 싶다는 말을 했다. 이를 시작으로 검정고시 학원에 등록하면서 나의 꿈은 완행열차를 타게 되었다.

첫 번째 기차역은 중학교 졸업, 두 번째 역은 고등학교 졸업… 이 기차역까지는 한 번에 검정고시 시험에 합격했다. 이 기차역에서 내린 후 대학 진학에 대한 고민으로 시간을 보내다 우연히 한국방송통신대학을 다니고 있는 친구를 만나게 되면서 세 번째 기차를 타고 7년이라는 긴 시간이 걸렸지만, 끝까지 중도 하차하지 않고 달려 종착역에 도착했다. 종착역에 내려 학사모를 쓰고 학우들과 졸업식을 하게 되었다. 오랜 시간 동안 학우들의 응원과 선배들의 격려, 교수님들의 가르침, 독려 덕분이었다. 이를 통해 마음을 나누며 함께 배움의 길을 간다는 건 정말 행복한 일이라고 생각한다. 행복 바이러스는 전염되어 아들, 며느리도 새로운 도전을 시작해서 지금은 사회복지 공부를 하고 있다. 나의 도전으로 가족 모두에게 용기를 준 것 같아 뿌듯함을 느낀다. 좌절과 포기를 하고 싶었던 순간마다 친구, 후배, 선배, 가족의 '할 수 있다.' '돌아서면 잊어버리는 나이지만 열 번, 스무 번 반복하다 보면 기억하게 된다.'는 응원의 목소리가 지금의 나를 있게 한 것 같다.

나를 아는 사람들에게 이 고마운 마음을 전하고자 더 하루하루 열심히 봉사활동을 하면서 시간을 보냈다. 이 마음을 알기라도 한 듯 노인 일자리가 생겨서 생산성이 있는 일을 할 수 있게 되었다. 복지관 식당 주방보조 일이지만 맛있게 드시는 분들의 모습과 맛있게 잘 먹었다는 인사 한마디에 보람을 느끼며, 동료들과 웃으면서 보내는 시간은 하루 일과 중 소중한 시간이다.

이렇게 의미 있는 시간을 보내던 중 미국에서 학생들에게 우리나라의 김치의 우수성을 알리는 행사에 동참할 수 있는 기회가 찾아왔다. 지금까지 유럽, 동남아시아, 미국, 호주 등 여러 나라를 다녀왔지만 모두 관광 목적이었다. 그런데 이번에는 내 생애 처음으로 해외에서 우리나라의 김치를 알리는 행사에 참여할 수 있다는 사실이 너무나도 기뻤다. 봉사활동 배지를 받았을 때와 비교가 되지 않을 정도로 가장 의미 있고 가치 있는 봉사활동이라는 생각에 자랑스럽고 뿌듯했다. 미국 워싱턴주의 한 중학교, 시애틀의 한 대학교에서 학생을 대상으로 '김치데이' 행사를 통해 대한민국 전통 음식인 김치의 역사, 제조 방법, 김치를 담그는 법을 배우며 김치의 우수성을 알렸다. 한국 학생들도 몇 명 만났다. 서울, 아산, 대전에서 왔다고 했다. 타국에서 만나니 더 반가웠고 불고기, 김치, 밥을 챙겨 주니 너무 좋아했다. 좋아하는 모습에 보람을 느꼈다. 또, 시애틀의 한 복지관에서 김치, 비빔밥 행사를 했다. 비빔밥에 곰국이 들어가는 것이 다른 점이었다. 복지관에 들어서는 순간 시설이 너무 좋아서 놀라웠다. 잔반 처리는 모두 자동처리되고 있었고, 모든 물은 다 먹을 수 있었다. 김치 담그기 행사가 시작되자 사람들의 눈이 반짝반짝 빛나면서 정말 열심히 만들었다. 나는 비빔밥, 잡채, 불고기, 잡곡을 배식하고 있는데 밥이 조금 남아있자 인사만 간단히 하고 간다던 남자 공무원들이 끝까지 남아서 밥이 맛있다며 김치, 비빔밥을 싸달라고 해서 너무 놀라웠다. 체면도 없이 집에 가져가겠다고 말해 아이들 같았다. 여기에서 우리나라와 미국 문화의 차이를 느낄 수 있었다. 우리나라 남자 공무원들이었다면 아무리 맛있어도 체면 때문에 집에서 먹겠다고 싸달라는 말을 못 하지 않았을까? 우리나라 사람들은 자신의 이익을 우선시하는 경향이 많은 반면, 미국 사람들은 남을 먼저 생각하는 모습과 의원들이 보좌관 없이 직접 차를 몰고 오고 차도 그렇게 고급 차도 아니었다. 순수하게 봉사자로 일을 하는데 보좌관이 "왜 필요하냐?"고 했다. 그리고 "무엇을 도와드릴까요?"라고 먼저 의원이 물어왔고 그 질문에 또 한 번 놀라웠다. 우리나라 국회의원들은 행사 참여시 보좌관을 대동하고 오는 경우가 대부분인데 너무나도 달라서 놀라웠다. 우리나라 장관, 국회의원들도 외국 견학을 통해 자신을 낮추는 마음가짐, 검소함을 배우고, 세금으로 출장비를 사용하면서 얼마나 많은 국민이 힘들게 세금을 내고 있는지를 한 번 더 생각하고 알뜰하게 쓰고 출장비가 아깝지 않도록 했으면 좋겠다는 바램을 가져 본다. 그리고, 미국 사람들은 기부 문화가 몸에 밴 것 같은데 우리나라의 경우는 그렇지 않은 것 같다. 몇몇 인식이 있는 분들이 기부하고 언론매체에 이름 석 자, 사진이 필요해서 하는 경우가 현실이다. 대중적으로 기부 문화가 확산된다면 지금보다는 더 따뜻한 나라, 복지 국가, 살고 싶은 나라, 행복 지수가 높은 국가가 될 것이고 이는 국민 개개인의 삶도 평안하고 풍요로워 하루하루가 즐겁고 행복하리라 생각한다.

끝으로, 앞으로의 나의 작은 바람은 한국방송통신대학교 청소년학과를 다시 입학하여 배움을 길을 계속 걸어가는 것이다.

2. 나의 행복

어린 시절에는 엄마가 부르는 소리에 잠이 깨고, 세월이 흘러 흰머리가 생기면서는 그냥 나도 모르게 정해진 시간에 일어나는 모습을 발견하게 된다. 70년을 살다 보니 이제는 아침 동녘이 트기 전에 일어나 하루를 시작하게 된다.

나의 하루 시작은 금강노인종합복지관에서 영어(초급, 중급), 중국어, 한문, 그림, 동아리 수업을 듣기 위해 종종걸음으로 골목길을 걷다 보면 갈림길에서 도반들을 만나 웃으면서 인사를 한 후 도란도란 이야기를 나누다 보면 어느덧 강의실에 도착한다. 나이는 숫자일 뿐이다. 마음은 늘 청춘인 듯 나이를 잊어버리고 학교 등교길에서 친구들을 만나 웃고 떠들던 그 시절로 돌아간 듯 강의실에서 강사가 오기 전까지 도반들과 담소를 나눈다.

　수업을 듣는 동안 배움의 기쁨도 잠시 저번 수업 내용이 기억
나지 않는다. 수업을 마치고 나가면 잊어버리는 영어 단어이지만,
배움의 기억은 시기가 있는 것 같다. 지금은 욕심내지 않고 반복
학습을 통해 기억하는 것이 최선인 것 같다. 하지만, 때로는 포기
하고 싶은 마음이 들었던 순간에도 도반들의 격려와 응원 덕분에
다시 또 한번 도전을 해봐야지 하며 마음을 다잡아본다. 도반들의
추천으로 반장을 하면서 잃어버린 나의 이름 석 자, 누구의 엄마
로…. 누구의 아내로 불려지지 않고 나의 이름을 불러주는 이곳에
서 난 존재감과 성취감, 자신감, 보람을 느낄 수 있었다.

복지관은 항상 고마운 곳이고 나에게 희망을 준다. 누가 살아주는 인생이 아니지, 어릴 때 배우지 못한 시간, 되돌릴 수 없는 세월의 아쉬움을 이곳에서 뒤늦게 채워가고 있다. 친절한 강사님들의 강의와 언제나 웃는 얼굴로 반갑게 맞아주는 복지관 직원들, 노인들의 건강과 일자리 마련을 위해 늘 챙겨 주시는 관장님 등 여러분들의 노고에 감사할 따름이다. 노인 일자리를 마련해 준 덕분에 월급도 받아 손자, 손녀 교복도 사주고, 친구들과 영화도 한편 같이 볼 수 있는 경제적인 여유로움과 일하면서 활기차게 생활하게 되어 건강해지는 것 같아서 너무 행복하다. 나는 복지관 식당에서 주방 보조 일을 하는데 매일 다른 메뉴를 만드는 일은 나의 또 다른 즐거움이다. 매일 다른 음식 오늘은 무슨 맛이 날까 기대가 된다. 신 메뉴를 만들어서 직원들이 모두 맛있다고 인사를 할 때마다 보람과 기쁨을 느낀다. 기회를 주셔서 정말 감사하다.

복지관은 나의 제2의 인생에 출발점, 새로운 도전 시작점, 자서전이라는 생각지도 못한 글을 쓸 수 있는 배움의 기회를 준 곳, 배움을 좋아하는 친구들을 만날 수 있는 곳, 즐거움과 기쁨을 함께 나눌 수 있는 도반들이 있는 곳, 노인들의 쉼터인 것 같다. 아침 햇살의 따스함과 포근함이 함께하는 이곳에서 사랑하는 이들과 마음을 나눌 수 있어 난 오늘도 행복하다.

3. 나의 생각

　나는 여행을 좋아한다. 평소에 여행을 즐기다 보면 재미가 쏠쏠하다. 내가 아는 세상이 아니라 다른 세상을 구경하다 보면 내생각이 달라진다. 나는 몸과 마음이 아프면 괴롭고 싶다. 혼자 할수 있는 일도 다른 사람에게 도움을 요청해야 하고, 다른 사람들을 귀찮게 하는 것이 싫다.

　나는 사랑하는 가족을 잃고 볼 수 없다는 것이 가장 슬프다. 사랑하는 사람을 자주 만나고 소통하는 것은 노년에 즐기는 가장큰 행복이다. 나는 부모님의 마지막 곁을 지키지 못한 것이 후회스럽고 미안하다. 다시 그 시절로 돌아간다면 후회하지 않도록 부모님의 곁을 지켜 드리고 싶다. 나는 아버지와 어머님이 참 보고 싶다. 그리고 사랑하는 이모님도 보고 싶다. 다시 만나면 부모님과 이모님이 좋아하시던 것을 꼭 해드리고 싶다.

나는 내가 가장 자랑스러웠던 시간은 검정고시에 합격했을 때이다. 어린 시절 공부를 할 수 없어 한이었는데, 당당하게 검정고시에 합격해 졸업장을 손에 들었을 때 기쁨은 너무너무 컸었다. 지금은 당당하게 대학을 졸업하고 자신감이 충만해졌다. 생각지도 않았던 자서전 쓰기를 하며 이제는 천천히 글을 쓰고 나의 스토리를 완성해 갈 것이다.

나는 제일 하고 싶은 것은 글쓰기이다. 소질은 다소 부족하지만 여행을 가서 눈으로 보고 느낀 것을 글로 써보고 싶다. 이번 자서전 쓰기 과정을 지내고 내 생각과 느낌이 담긴 책을 내보는 것이 나의 꿈이다. 꿈을 이루기 위해서는 무엇보다 건강을 소중히 지켜야 한다.

이번 자서전 수업을 통해 깨달은 바가 있다. 나의 생각 속에는 이러저리 툭툭 터져 나오는 시 주머니가 있는 것 같다. 선생님의 질문에 손을 들어 대답을 하다보면 한바탕 웃기도 하고, 나의 말이 시 한편이 된다는 것이 신기했다. 나의 글 속에 기쁨과 분노,

즐거움, 사랑이 충만한 글을 담아 책을 내고 싶다. 꿈을 향해 한 발 한 발 도전해 볼 것이다.